BTS

Global Edition

Workbook

Contents

Vowel 1, Consonant 1

1. Check the order of the strokes. Write the syllables as you read them.

Student Book pp. 12-13

아 어 애 에 오 우 으 이

ㅏ ㅓ ㅐ ㅔ ㅗ ㅜ ㅡ ㅣ

아	어	애	에	오	우	으	이
아	어	애	에	오	우	으	이

2. Check the order of the strokes. Write the syllables as you read them.

ㅂ ㅁ ㄷ ㅅ ㄴ ㄹ ㅈ ㄱ ㅎ

바	마	다	사	나	라	자	가	하
바	마	다	사	나	라	자	가	하
보	모	도	소	노	로	조	고	호
보	모	도	소	노	로	조	고	호

3. Read the words and write them.

오이	아미	어머니	아버지	에너지	우리	이마	바지
cucumber	ARMY	mother	father	energy	we, us	forehead	pants
오이	아미	어머니	아버지	에너지	우리	이마	바지
버스	보조	머리	모두	무대	다르다	다시	도로
bus	help	head	all	stage	to be different	again	road
버스	보조	머리	모두	무대	다르다	다시	도로
사자	소나무	새해	나라	느리다	노래	누구	리더
lion	pine tree	new year	country	to be slow	song	who	leader
사자	소나무	새해	나라	느리다	노래	누구	리더
자리	지도	게	구두	고래	하나	호두	호수
seat	map	crab	dress shoes	whale	one	walnut	lake
자리	지도	게	구두	고래	하나	호두	호수

Vowel 2

1. Check the order of the strokes. Write the syllables as you read them.

Student Book p. 14

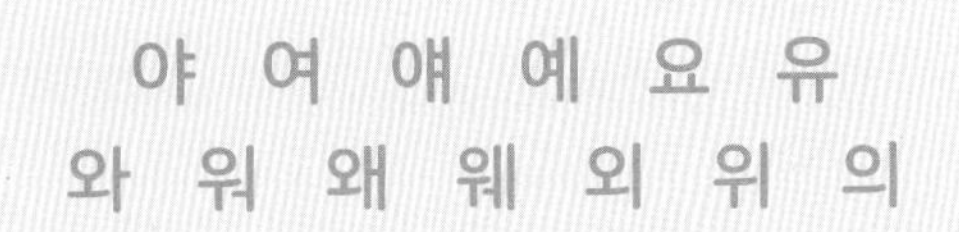

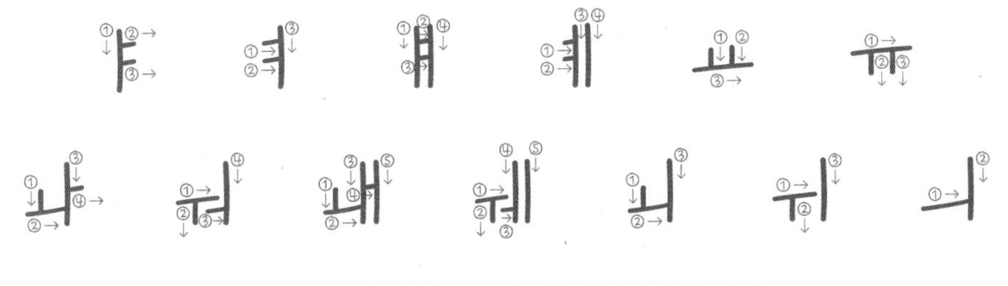

야	여	얘	예	요	유
야	여	얘	예	요	유

와	워	왜	웨	외	위
와	워	왜	웨	외	위

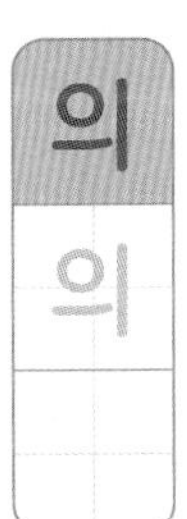

2. Read the words and write them.

야호 yay	야자 palm tree	여기 here	여자 female	혀 tongue	얘기 story	예 yes; example	예의 manners
야호	야자	여기	여자	혀	얘기	예	예의
시계 clock	**가요** song	**교사** teacher	**유리** glass	**뉴스** news	**휴지** tissue	**과자** cookie	**좌우** left and right
시계	가요	교사	유리	뉴스	휴지	과자	좌우
효과 effect	**화가** painter	**뭐** what	**샤워** shower	**고마워** thanks	**돼지** pig	**왜** why	**웨이브** wave
효과	화가	뭐	샤워	고마워	돼지	왜	웨이브
되다 to become	**회사** company	**해외** overseas	**쉬다** to rest	**가위** scissors	**귀** ear	**의미** meaning	**의자** chair
되다	회사	해외	쉬다	가위	귀	의미	의자

Consonant 2

1. Check the order of the strokes. Write the syllables as you read them.

Student Book p. 16

ㅍ ㅃ ㅌ ㄸ ㅆ ㅊ ㅉ ㅋ ㄲ

ㅍ ㅃ ㅌ ㄸ ㅆ ㅊ ㅉ ㅋ ㄲ

파	빠	타	따	싸	차	짜	카	까
파	빠	타	따	싸	차	짜	카	까

2. Read the words and write them.

파도 wave	피아노 piano	아빠 dad	예쁘다 to be pretty	타다 to ride	웨이터 waiter	라떼 latte	싸다 to be cheap
파도	피아노	아빠	예쁘다	타다	웨이터	라떼	싸다
쓰다 to write	치마 skirt	기차 train	찌개 *jji-gae* (stew)	카메라 camera	케이크 cake	코끼리 elephant	꼬리 tail
쓰다	치마	기차	찌개	카메라	케이크	코끼리	꼬리

Batchim, Linking Sounds

1. Write and read aloud.

Student Book pp. 17-20

Example

ㅇ ⊕ ㅔ ⊕ ㅁ = 엠

❶ ㅅ ⊕ ㅓ ⊕ ㄱ = ☐

❷ ㅇ ⊕ ㅠ ⊕ ㄴ = ☐

❸ ㅎ ⊕ ㅗ ⊕ ㅂ = ☐

❹ ㅁ ⊕ ㅣ ⊕ ㄴ = ☐

❺ ㅎ ⊕ ㅕ ⊕ ㅇ = ☐

❻ ㄱ ⊕ ㅜ ⊕ ㄱ = ☐

❼ ㄴ ⊕ ㅏ ⊕ ㅈ = ☐

❽ 

ㅁ ⊕ ㅝ ⊕ ㄹ = ☐

❾ ㅂ ⊕ ㅘ ⊕ ㅆ = ☐

2. Read the words and write them.

손 hand	문 door	앉다 to sit	않다 to not be
손	문	앉다	않다

달 moon	넓다 to be wide	훑다 to look over	잃다 to lose
달	넓다	훑다	잃다

곰 bear	밤 night	마음 mind	닮다 to resemble
곰	밤	마음	닮다

강 river	방 room	창문 window
강	방	창문

집 house	밥 rice; meal	앞 front	옆 side	값 price	없다 to not exist	읊다 to recite
집	밥	앞	옆	값	없다	읊다

걷다 to walk	듣다 to hear	밑 bottom	그릇 plate	있다 to exist	찾다 to find	잊다 to forget	빛 light
걷다	듣다	밑	그릇	있다	찾다	잊다	빛

약 medicine	막내 *maknae* (the youngest)	부엌 kitchen	밖 outside	넋 spirit	닭 chicken	맑다 to be clear
약	막내	부엌	밖	넋	닭	맑다

3. Choose the correct pronunciations of the following words.

1. 멋있어요 → ① [머이써요] ② [머시써요] ③ [머시서요]
2. 읽은 책 → ① [일근 책] ② [이근 책] ③ [이른 책]
3. 좋은 노래 → ① [조흔 노래] ② [조은 노래] ③ [좋은 노래]
4. 옷이 많아요 → ① [오시 마나요] ② [오디 만하요] ③ [오시 만하요]
5. 특히 좋아해요 → ① [특히 조아해요] ② [트키 조하해요] ③ [트키 조아해요]

Wrap-up Practice

1. Write BTS' names. If there is a missing letter, write it to complete the name.

알	엠
ㅏㄹ	ㅇㅁ

진
지

슈	가
ㅅ	ㄱ

제	이	홉
ㅈ	ㅇ	ㅎㅂ

지	민
ㅣ	ㅁㄴ

뷔
ㅂ

정	국
저	ㅜㄱ

방	탄	소	년	단
ㅂㅇ	ㅏㄴ	ㅅ	녀	ㅏㄴ

2. Write your name in Hangeul. Then look up how to write the name of your country or region and your city in Korean and write those too.

❶ Your Name : ____________________

❷ Country or Region : ____________________

❸ City : ____________________

Ep. 1 한국어로 자기소개하기

Introduce Yourself in Korean

Vocabulary

Student Book p. 24

1. Match the parts related to each other.

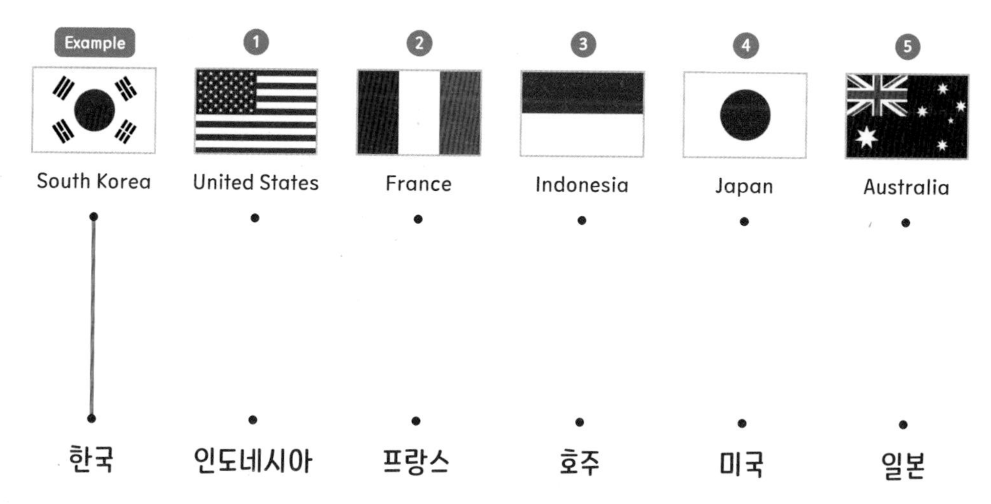

2. Match the parts related to each other.

❶ 이거 •

❷ 그거 •

❸ 저거 •

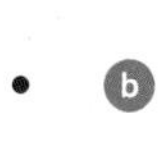

Student Book p. 26

1. Fill in the chart using "N은/는."

N	N 은	N	N 는
방탄소년단	방탄소년단은	저	저는
한국		여기	
학생		저거	
그쪽		우리	
선생님		친구	

2. Complete the sentences using the given words.

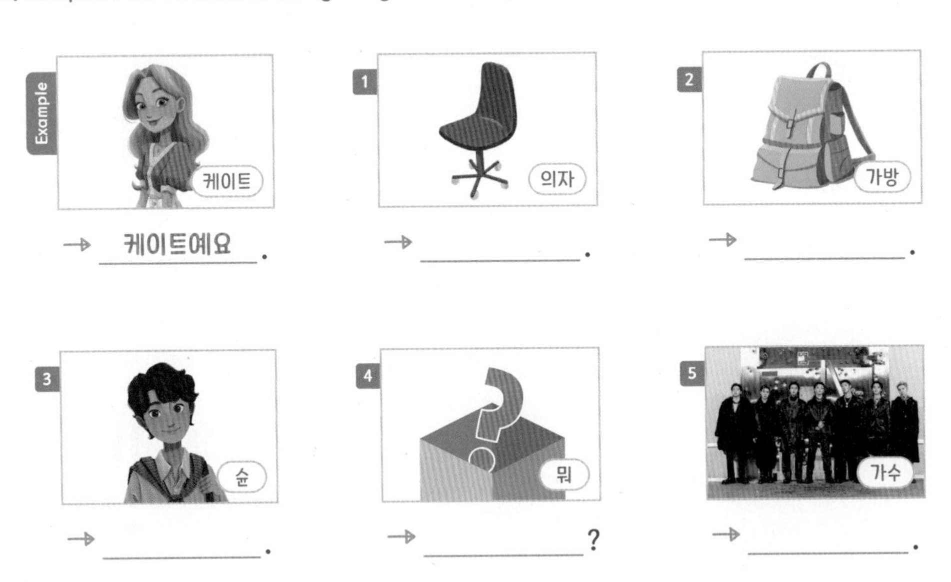

3. Complete the sentences using the given words.

Example 저, 케이트 → 저는 케이트예요.

1. 저, 미국 사람 → ______.
2. 이 사람, 제 친구 → ______.
3. 제 친구 이름, 슌 → ______.
4. 슌, 일본 사람 → ______.
5. 우리, 아미 → ______.

4. Try introducing BTS. Complete the sentences using the given words.

______.

______.

______.

______.

______.

______.

Student Book p. 28

1. Change the form of each sentence without changing its meaning.

2. Complete the sentences using the given words.

Example 방탄소년단, 한국 → 방탄소년단은 한국에서 왔어요.

① 제 친구, 멕시코 → ______________________.

② 저 분, 남아프리카공화국 → ______________________.

③ 뷔, 대구 → ______________________.

④ 정국, 부산 → ______________________.

⑤ 알엠, 어디 → ______________________?

3. Circle the names of the countries or regions and complete the sentences.

가	태	브	라	질
중	국	호	불	독
프	남	영	소	일
멕	튀	르	키	예

Q. 어디에서 왔어요?

Example 태국에서 왔어요.

1. ____________________.
2. ____________________.
3. ____________________.
4. ____________________.

4. Answer the questions.

Example 1

A: 케이트는 미국 사람이에요?

B: 네, 케이트는 미국에서 왔어요.

Example 2

A: 숀은 중국에서 왔어요?

B: 아니요, 숀은 일본 사람이에요.

(일본)

1. A: 슈가는 한국 사람이에요?

   B: 네, ____________________.

2. A: 진은 과천 사람이에요?

   B: 네, ____________________.

3. A: 제이홉은 부산에서 왔어요?

   B: 아니요, ____________________.

   (광주)

4. A: 지민은 대구에서 왔어요?

   B: 아니요, ____________________.

   (부산)

Wrap-up Practice

1. Write a short paragraph introducing BTS.

방탄소년단은 가수예요.

방탄소년단에는 알엠, 진, 슈가, 제이홉, 지민, 뷔, 정국이 있어요.

알엠은 고양에서 왔어요. 본명은 김남준이에요.

진은

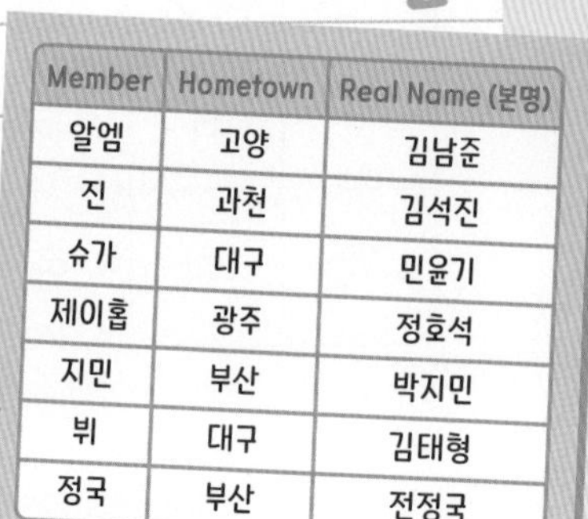

Member	Hometown	Real Name (본명)
알엠	고양	김남준
진	과천	김석진
슈가	대구	민윤기
제이홉	광주	정호석
지민	부산	박지민
뷔	대구	김태형
정국	부산	전정국

2. Listen to the dialogue again and complete the sentences.

Student Book p. 30

안녕하세요. [　　　　]. 이름이 뭐예요?

[　　　　]. 만나서 반가워요.

저도 만나서 반가워요. 저는 [　　　　]. 슌 씨는 어디에서 왔어요?

저는 [　　　　]. 어? 케이트 씨 방탄소년단 [　　　　]?

네, 맞아요.

와, 저도 아미예요. 우리 친하게 지내요.

My Room Tour

Vocabulary

Student Book p. 36

1. This is Kate's room. Fill in the blanks.

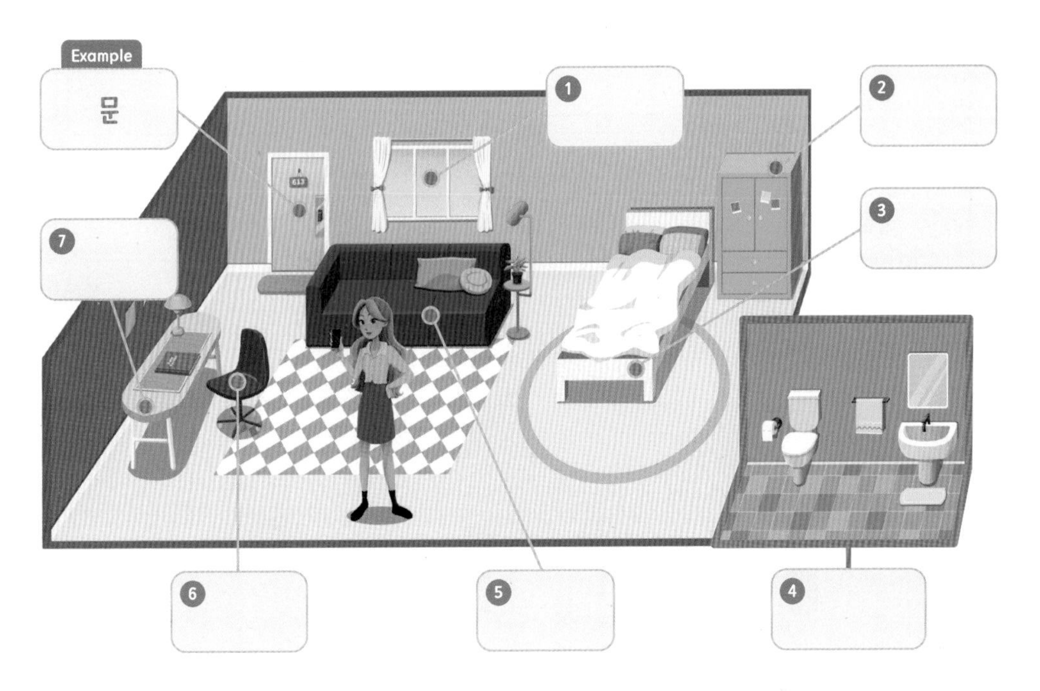

2. Connect the numbers in order from 1 to 6 and from 7 to 12.

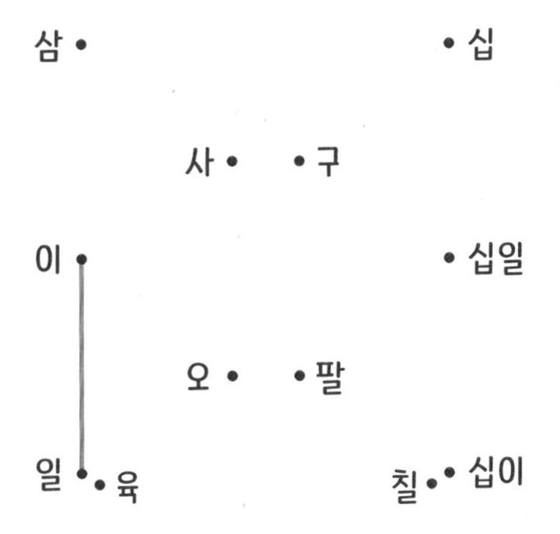

Student Book p. 38

1. Fill in the chart using "N이/가."

N	N 이	N	N 가
핸드폰	핸드폰이	침대	침대가
창문		의자	
옷장		교통카드	
시간		친구	
약속		저	제가

Tip!

If "가" comes after "저" (I), it becomes "제가" instead of "저가."

2. Complete the sentences.

Example 1

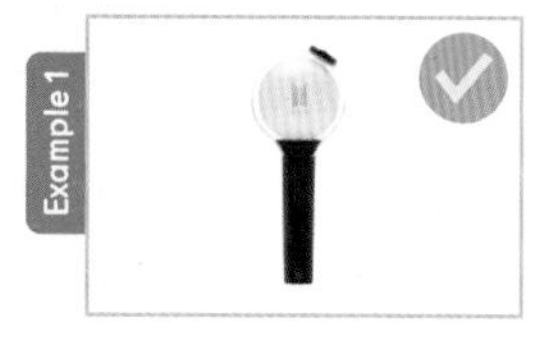

→ 아미밤이 있어요.

Example 2

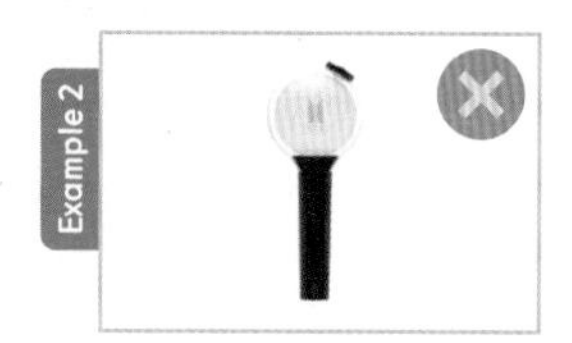

→ 아미밤이 없어요.

1

→ 핸드폰 ________________.

2

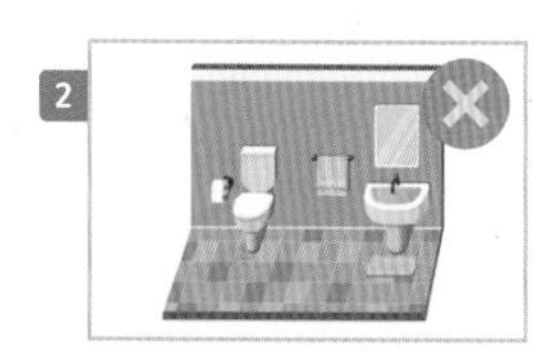

→ 화장실 ________________.

3

→ 소파 ________________.

4

→ 고양이 ________________.

5

→ 책 ________________.

6

→ 강아지 ________________.

3. Complete the sentences using the given words.

Example 한국 친구, 있다 → 한국 친구가 있어요.

1. 의자, 있다 → ______________________.
2. 시간, 없다 → ______________________.
3. 한국 돈, 없다 → ______________________.
4. 방탄소년단 앨범, 있다 → ______________________.

4. Answer the questions.

Example 1

A: 케이트가 있어요?

B: 네, 있어요.

Example 2

A: 슌이 있어요?

B: 아니요, 없어요.

1. A: 책상이 있어요?
   B: ______________________.
2. A: 카메라가 있어요?
   B: ______________________.
3. A: 고양이가 있어요?
   B: ______________________.
4. A: 강아지가 있어요?
   B: ______________________.
5. A: 옷장이 있어요?
   B: ______________________.
6. A: 노트북이 있어요?
   B: ______________________.

Student Book p. 40

1. Answer the questions using the given words.

Example

Q: 케이트 씨가 어디에 있어요?

A: 케이트 씨는 한국에 있어요. (한국)

1. Q: 방탄소년단이 어디에 있어요?
   A: ____________________. (서울)
2. Q: 슌 씨가 어디에 있어요?
   A: ____________________. (집)
3. Q: 우산이 어디에 있어요?
   A: ____________________. (문 앞)
4. Q: 화장실이 어디에 있어요?
   A: ____________________. (저쪽)
5. Q: 슌 씨 방이 어디에 있어요?
   A: ____________________. (3층)
6. Q: 케이트 씨 방이 몇 층에 있어요?
   A: ____________________. (6층)

몇 층 what floor

2. Rewrite each given sentence according to the example.

Example 가방이 케이트 앞에 있어요. → 케이트가 가방 뒤에 있어요.

1. 창문이 소파 뒤에 있어요. → 소파가 ____________________.
2. 케이트가 의자 옆에 있어요. → 의자가 ____________________.
3. 강아지가 케이트 오른쪽에 있어요. → 케이트가 ____________________.
4. 아미밤이 방탄소년단 사진 위에 있어요. → 방탄소년단 사진이 ____________________.
5. 슌이 방 안에 없어요. → 슌이 ____________________.

3. Look at the photo and write where each member is.

Example 1 정국이 진 왼쪽(옆)에 있어요.

Example 2 슈가가 진 앞에 있어요.

❶ 진이 슈가 ________________.

❷ 뷔가 알엠 ________________.

❸ 알엠이 제이홉 ________________.

❹ 지민이 알엠 ________________.

❺ 제이홉이 알엠 ________________.

❻ 방탄소년단이 방 ________________.

4. Answer the questions.

Example 1

A: 지갑이 책상 위에 있어요?

B: 네, 책상 위에 있어요.

Example 2

A: 지갑이 책상 위에 있어요?

B: 아니요, 책상 위에 없어요.

침대 위에 있어요. (침대 위)

❶ A: 카메라가 핸드폰 옆에 있어요?

B: 네, ________________.

❷ A: 노트북이 책상 위에 있어요?

B: 네, ________________.

❸ A: 교통카드가 지갑 안에 있어요?

B: 아니요, ________________.

________________. (의자 밑)

Wrap-up Practice

1. This is ARMY's room, as drawn by BTS in the album <BE>. Talk about what items are in the room and where they are.

침대 bed	창문 window	책 book	어항 fishbowl	책장 bookshelf	시계 clock
곰인형 teddy bear	슬리퍼 slippers	테이블 table	꽃병 vase	피아노 piano	스피커 speaker

Example

침대 뒤에 창문이 있어요.

Example

곰인형이 침대 위에 있어요.

2. Listen to the dialogue again and complete the sentences.

앗, 저 핸드폰이 없어요.

정말요? 가방 ______ ?

네, 없어요.

케이트 씨, 핸드폰 번호가 뭐예요?

010-0000- ______ 예요.

(Shun calls Kate, and her cell phone rings)

어? ______ 에 있어요.

와, 정말 고마워요.

아니에요. 근데 케이트 씨, 한국어 책은 ______ ?

아... ______ 에 있어요.

Student Book p. 42

내 가방 속에는? #왓츠인마이백

Take a Look! What's in My Bag?

Vocabulary

Student Book p. 48

1. Fill in the blanks.

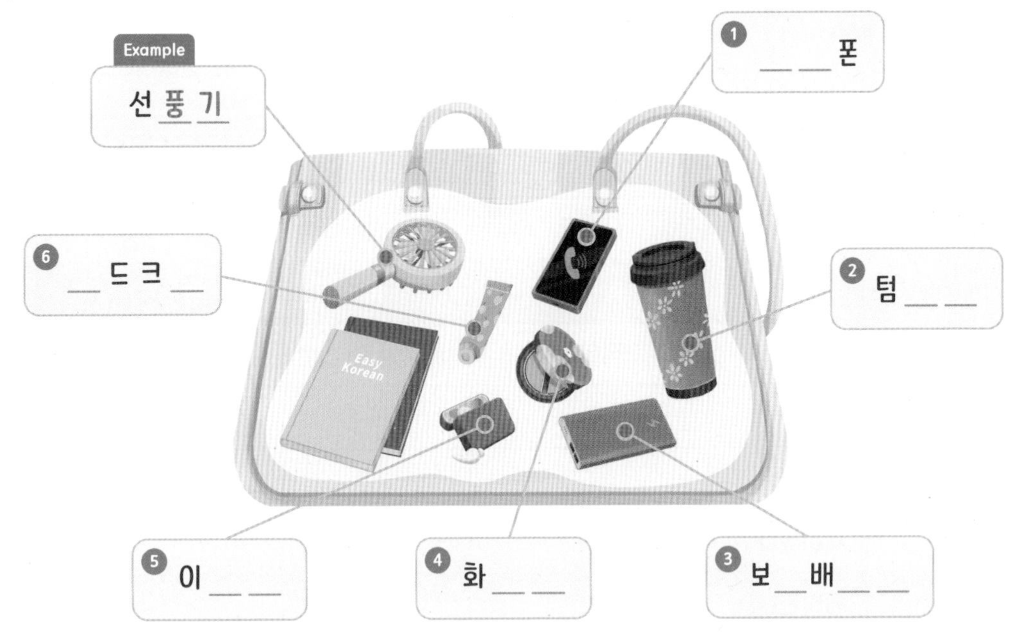

2. Count the number of objects or people and write in Korean.

1. ________ 권
2. ________ 명
3. ________ 개
4. ________ 개
5. ________ 개

Student Book p. 50

1. Fill in the chart using "N이/가 A아/어/해요."

Note that the words marked with * are combined slightly differently!

A	A 아요	N	N 이/가 A 아요
좋다	좋아요	향기 scent	향기가 좋아요
많다		물건	
작다		키	
싸다		가격 price	
나쁘다*	나빠요	기분	
A	**A 어요**	**N**	**N 이/가 A 어요**
적다	적어요	사람	
있다		핸드폰	
없다		시간	
재미있다		영화	
재미없다		책	
멋있다		패션	
멋지다		방탄소년단	
예쁘다*	예뻐요	꽃 flower	
크다*		가방	
A	**A 해요**	**N**	**N 이/가 A 해요**
편하다	편해요	소파	
불편하다		옷	
시원하다		선풍기	
친절하다		직원	

2. Complete the sentences by choosing the correct expressions.

1. 방탄소년단 이 / 가 멋있 아요 / 어요 / 해요 .
2. 핸드폰 이 / 가 좋 아요 / 어요 / 해요 .
3. 선풍기 이 / 가 작 아요 / 어요 / 해요 .
4. 책 이 / 가 적 아요 / 어요 / 해요 .
5. 보조배터리 이 / 가 있 아요 / 어요 / 해요 .
6. 침대 이 / 가 편 아요 / 어요 / 해요 .

3. Use the given word and an adjective from the box to complete the sentences.

재미없다	좋다	크다
많다	맛있다	불편하다

Example

→ TV가 재미없어요 .

1

→ ______________________.

2

→ ______________________.

3

→ ______________________.

4

→ ______________________.

5

→ ______________________.

날씨 weather

Student Book p. 52

1. Fill in the charts using "Ⓐ지 않다" or "안 Ⓐ."

A	A 지 않다
작다	작지 않아요
싸다	
멀다	
크다	
친절하다	
시원하다	
맛있다	맛없어요

A	안 A
좋다	안 좋아요
많다	
적다	
멋있다	
편하다	
나쁘다	
예쁘다	

Tip!
"맛없다" and "재미없다" are more commonly used to negate "맛있다" and "재미있다."

2. Match the sentences with similar meanings.

Example 커요. • —— • 안 작아요.

① 적어요. •   • 나쁘지 않아요.

② 좋아요. •   • 싸지 않아요.

③ 비싸요. •   • 많지 않아요.

④ 길어요. •   • 안 불편해요.

⑤ 편해요. •   • 안 짧아요.

길다 to be long

3. Change the following sentences into two negative sentences.

Example 기분이 좋아요. → 기분이 좋지 않아요. 기분이 안 좋아요.

1. 키가 작아요. → ______. ______.
2. 교통카드가 비싸요. → ______. ______.
3. 사진이 많아요. → ______. ______.
4. 옷이 편해요. → ______. ______.
5. 사람이 적어요. → ______. ______.
6. 머리가 길어요. → ______. ______.

4. Let's talk about the place you live in. Answer the questions.

Example

A: 사람이 많아요?

B1: 네, 사람이 많아요. / B2: 아니요, 사람이 많지 않아요.

1. A: 날씨가 좋아요?

   B: ______.

2. A: 교통이 편리해요?

   B: ______.

3. A: 과일이 싸요?

   B: ______.

4. A: 음식이 맛있어요?

   B: ______.

교통 transportation
편리하다 to be convenient
과일 fruit
음식 food

Wrap-up Practice

1. What's in your bag? Draw the items in your bag and describe them.

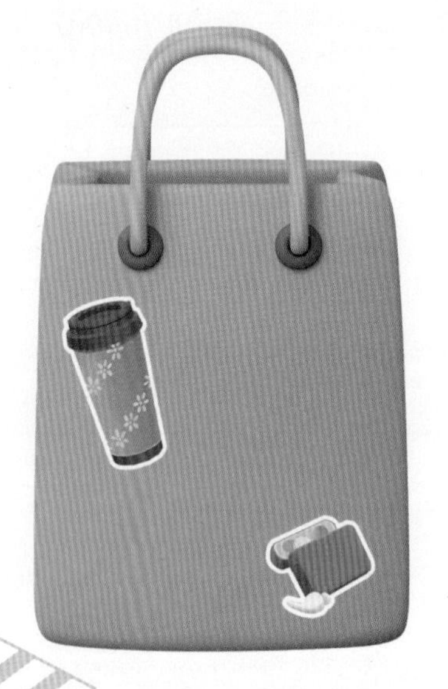

이건 제 가방이에요.

가방에 텀블러가 한 개 있어요. 디자인이 아주 예뻐요.

이어폰이 있어요. 이 이어폰은 비싸지 않아요.

2. Listen to the dialogue again and complete the sentences.

Student Book p. 54

(Kate takes out her portable fan)

케이트 씨, 그게 ______?

아, 이건 '손선풍기'예요. 휴대용 선풍기예요.

______ 정말 ______. 그거 비싸요?

______. 그리고 아주 시원해요.

(Shun points to the photo on Kate's portable charger)

그건 방탄소년단 사진이에요?

네, 맞아요.

역시 ______ 다 너무 ______.

A Day in My Life in Korea

Vocabulary

Student Book p. 60

1. Look at the clock and write the time.

Example

AM 07:50 오전 일곱 시 오십 분

1 AM 09:00 ______ ____________

2 PM 01:30 ______ ____________

3 PM 03:57 ______ ____________

4 PM 04:26 ______ ____________

5 PM 07:09 ______ ____________

6 PM 11:42 ______ ____________

7 AM 02:05 ______ ____________

2. Circle the word that matches the context of the pictures.

1

자다 / 먹다

2

만나다 / 배우다

3

듣다 / 읽다

4

일어나다 / 보다

5

좋아하다 / 가다

6

오다 / 배우다

Student Book p. 62

1. Fill in the chart using "N을/를 V아/어/해요."

V	V아요	N	N을/를 V아요
보다	봐요	영상 video	영상을 봐요
만나다		방탄소년단	
자다		잠 sleep	
가다		학교	
오다		집	
사다		옷	
일어나다			
V	**V어요**	**N**	**N을/를 V어요**
먹다	먹어요	점심	
읽다		책	
배우다		한국어	
마시다		물 water	
쉬다 to rest			
듣다*	들어요	노래	
걷다*		공원 park	
쓰다* to write		일기 diary	
V	**V해요**	**N**	**N을/를 V해요**
하다	해요	노래	
좋아하다		방탄소년단	
전화하다 to call			

Note that the words marked with * are combined slightly differently!

2. Match the parts related to each other and complete the sentences.

Example 주스	• —— •	마시다	Example	주스를 마셔요.
① 집	•	• 듣다	①	______________.
② 떡볶이	•	• 보다	②	______________.
③ 노래	•	• 먹다	③	______________.
④ 한글	•	• 쓰다	④	______________.
⑤ 방탄소년단 영상	•	• 가다	⑤	______________.

주스 juice
한글 Hangeul

3. What is BTS doing? Complete the sentences using the given words.

Q. 방탄소년단이 뭐 해요?

Example

진은 랩을 해요.

1

알엠하고 제이홉은 ______________.

2

슈가는 ______________.

3

뷔는 ______________.

4

지민은 ______________.

5

정국은 ______________.

랩 rap
치다 to play, to hit
운전 driving
닦다 to brush
탁구 table tennis
농구 basketball
이 teeth

4. Answer the questions.

Example 1

A: 집에 가요?

B: 아니요, 집에 안 가요.

집에 가지 않아요.

❶ A: 아침을 먹어요?

B: 아니요, ____________________.

____________________.

❷ A: 친구를 만나요?

B: 아니요, ____________________.

____________________.

❸ A: 커피를 마셔요?

B: 아니요, ____________________.

____________________.

Example 2

A: 운동해요?

B: 아니요, 운동 안 해요.

운동하지 않아요.

Tip!

The negative form of the "N하다" verb is "N 안 하다." "좋아하다" is not a "N하다" verb, so the negative form is "안 좋아하다."

❹ A: 게임을 해요?

B: 아니요, ____________________.

____________________.

❺ A: 청소해요?

B: 아니요, ____________________.

____________________.

❻ A: 영화를 좋아해요?

B: 아니요, ____________________.

____________________.

커피 coffee
운동 workout
운동하다 to work out
청소 cleaning
청소하다 to clean

N 에

Student Book p. 64

1. Look at the time and answer the questions.

Example

AM 07:40

A: 몇 시에 일어나요?

B: 오전 일곱 시 사십 분에 일어나요.

1

AM 11:30

A: 몇 시에 수업을 들어요?

B: ________________________.

2

PM 03:00

A: 언제 집에 와요?

B: ________________________.

3

PM 09:50

A: 언제 드라마를 봐요?

B: ________________________.

4

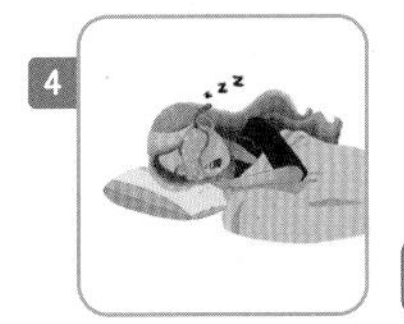

?

A: 언제 자요? (your own answer)

B: ________________________.

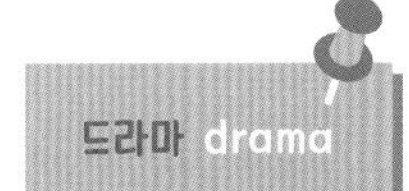

2. Complete the sentences by choosing the correct expression.

1. 지금 / 지금에 저녁을 먹어요.
2. 아침 10시 / 10시에 운동을 해요.
3. 내일 / 내일에 어디에 가요?
4. 저녁 / 저녁에 드라마를 봐요.
5. 오전 / 오전에 샤워를 해요.

1. Write about a typical day in your life.

저는 보통 ____________ 에 일어나요.

오전 ____________

____

오후 ____________

____

____

그리고 ____________ 에 자요.

2. Listen to the dialogue again and complete the sentences.

Student Book p. 66

슌 씨, 보통 [   ] 뭐 해요?

컴퓨터 게임 해요. 케이트 씨는 저녁에 [   ]?

저는 친구들하고 같이 놀아요. 오늘은 [   ].

와, 노래방!

슌 씨, 노래 좋아해요?

네, 좋아해요.

방탄소년단 [   ] 특히 [   ].

대박! 오늘 저녁 [   ] 시간 있어요?

우리 같이 [   ].

좋아요!

Ep. 5

한국 음식 먹방

Korean Food Mukbang

Vocabulary

Student Book p. 72

1. Write the prices in Korean.

Example

3,987,600원

→ 삼백구십팔만 칠천육백 원

❶ 1,400원 → ______________ 원

❷ 5,300원 → ______________ 원

❸ 68,200원 → ______________ 원

❹ 193,700원 → ______________ 원

❺ 1,036,600원 → ______________ 원

❻ 3,504,900원 → ______________ 원

2. Write the names of the foods to complete the puzzle.

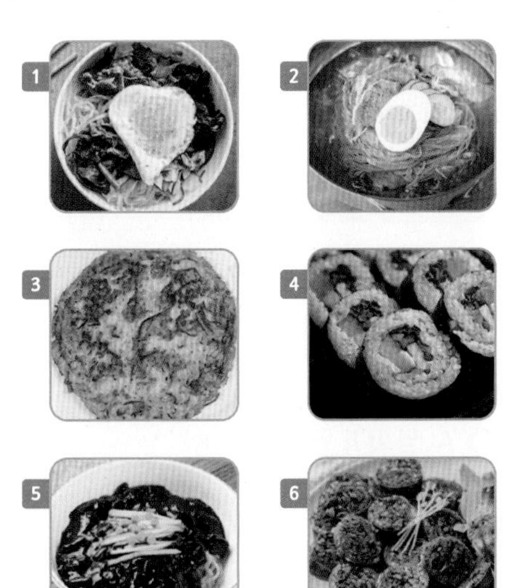

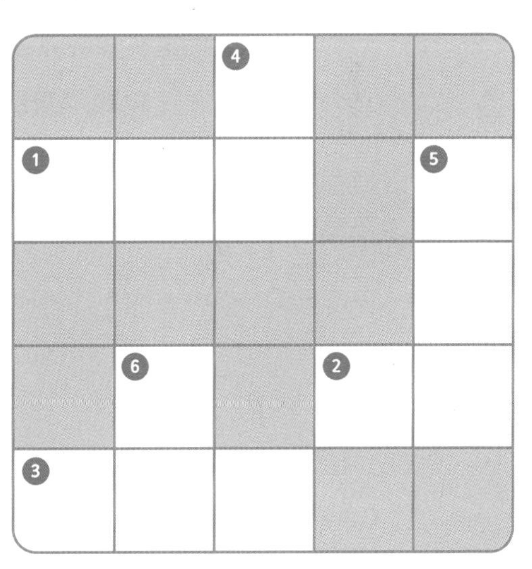

Student Book p. 74

1. Fill in the chart using "V(으)ㄹ까요?"

V	V 을까요?	V	V ㄹ까요?
먹다	먹을까요?	가다	갈까요?
찍다		보다	
읽다		만나다	
앉다 to sit		하다	
듣다*	들을까요?	놀다	
걷다*		만들다	

Note that the words marked with * are combined slightly differently!

2. Choose the right word from the given words to complete the sentences.

하다 먹다 듣다 가다 걷다

Example A: 같이 게임을 할까요 ?
B: 네, 좋아요.

1 A: 같이 노래를 ________ ?
B: 좋아요. 같이 들어요.

2 A: 오늘 같이 홍대*에 ________ ?
B: 미안해요. 다음에 가요.

*홍대 Hongik University; neighborhood near Hongik University

3 A: 오늘 같이 저녁을 ________ ?
B: 미안해요. 다른 약속이 있어요.

4 A: 날씨가 좋아요. 같이 ________ ?
B: 그래요. 같이 걸어요.

[3-5] Read the dialogue and answer the questions.

A: 내일 시간 있어요?
B: 네, 있어요.
A: 같이 영화 볼까요?
B: 네, 좋아요. 같이 봐요. 몇 시에 만날까요?
A: 한 시에 만나요.

3. What are the two people doing tomorrow? Answer in Korean.

4. Change the underlined parts of the above dialogue using different words as shown below, and say it aloud.

	Suggested Action	Suggested Time
Example	테니스 치다	세 시
1	점심 먹다	열두 시 반
2	명동* 가다	일곱 시

*명동 Myeongdong

Example

A: 내일 시간 있어요?
B: 네, 있어요.
A: 같이 테니스 칠까요?
B: 네, 좋아요. 같이 쳐요. 몇 시에 만날까요?
A: 세 시에 만나요.

5. If you had free time tomorrow, what would you like to do with a friend? Fill in the chart and come up with a dialogue.

Suggested Action	Suggested Time

Student Book p. 76

1. Fill in the chart using "V(으)세요."

V	V 으세요	V	V 세요
읽다	읽으세요	보다	보세요
앉다		가다	
찍다		주다	
받다		운동하다	
잡다		열다	
듣다*		만들다	

Note that the words marked with * are combined slightly differently!

2. Below are some common phrases you can hear at a restaurant. Complete the sentences using the given words.

Example

→ 여기에 이름을 쓰세요.

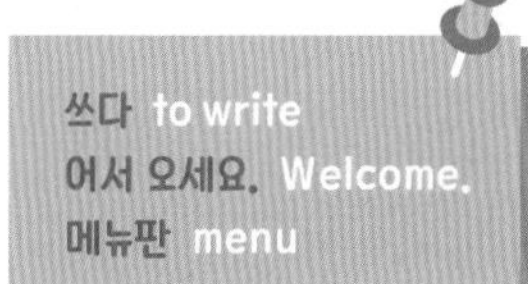

→ 어서 ______________.

→ 여기에 ______________.

→ 메뉴판 ______________.

→ 맛있게 ______________.

3. Correct the errors.

Example 의자에 앉아세요. (앉다) → 의자에 앉으세요 .

1 김치볶음밥을 만들세요. (만들다) → 김치볶음밥을 ________.

2 〈봄날〉을 듣으세요. (듣다) → 〈봄날〉을 ________.

3 이 영상을 봐세요. (보다) → 이 영상을 ________.

4 이 책을 일그세요. (읽다) → 이 책을 ________.

5 짜장면을 먹으세요. (먹다) → 짜장면을 ________.

4. Choose the right word from the given words to complete the sentences.

오다	기다리다	가다	보다	먹다

Example A: 시간이 없어요. 빨리 오세요 .

B: 미안해요. 지금 가요.

1 A: 떡볶이 1인분 주세요.

B: 네. 잠시만 ________.

2 A: 지금 몇 시예요?

B: 벌써 10시예요. 빨리 학교에 ________.

3 A: 뭐가 맛있어요?

B: 삼겹살을 ________. 정말 맛있어요.

4 A: 〈달려라 방탄〉 재미있어요?

B: 네. 꼭 ________. 진짜 재미있어요.

기다리다 to wait
잠시만 a moment
벌써 already
꼭 must

1. Read and answer the questions.

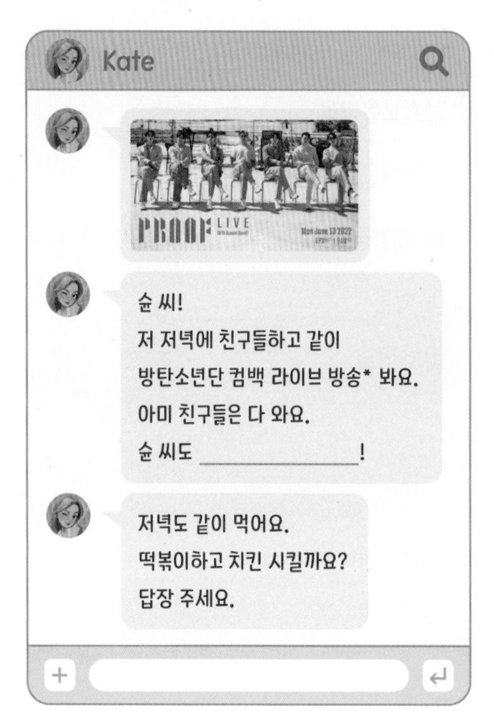

1) Fill in the blank with the correct phrase using "Ⓥ(으)세요."

2) Which of the following is true?

① 케이트는 방탄소년단 콘서트에 가요.

② 케이트는 저녁에 아미 친구들을 만나요.

③ 케이트는 슌하고 같이 점심을 먹어요.

④ 슌은 떡볶이하고 치킨을 주문해요.

*컴백 라이브 방송
a live performance after
the release of a new song or album

2. Listen to the dialogue again and complete the sentences.

우리 뭐 [   ]?

[   ] 하고 떡볶이 어때요?

좋아요. [   ] 도 시킬까요?

그래요. (calls to the waiter) 여기요!

네, 뭐 [   ]?

김밥 두 줄, 떡볶이 하나, 빈대떡 하나 [   ].

(after the meal)

잘 먹었습니다. 얼마예요?

[   ] 원입니다.

Student Book p. 78

Ep. 6 같이 공부해요! #스터디윗미

Let's Study Together! Study with Me

Vocabulary

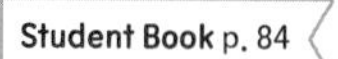

1. Complete the sentences.

Example 커피를 마셔요. → 카페 에 가세요.

1. 밥을 먹어요. → ________ 에 가세요.
2. 쇼핑을 해요. → ________ 에 가세요.
3. 노래를 해요. → ________ 에 가세요.
4. 영화를 봐요. → ________ 에 가세요.
5. 약을 사요. → ________ 에 가세요.

커피 coffee
쇼핑 shopping
약 medicine

2. Choose the right word from the given words and use "V(으)세요" to complete the sentences.

공부하다	외우다	말하다	풀다	보다

Example 한국어, 이렇게 공부하세요 !

1. 방탄소년단을 좋아해요? 방탄소년단 영상을 많이 ________.
2. 한국어는 단어가 중요해요. 단어를 많이 ________.
3. 한국어 책이 있어요? 문제를 많이 ________.
4. 한국인 친구가 있어요? 한국어로 많이 ________.

이렇게 like this 많이 a lot
중요하다 to be important
한국인 Korean (nationality)
한국어로 in Korean

Expression 1

N에서

Student Book p. 86

1. Where is BTS and what are they doing? Answer the questions.

Example

A: 알엠은 어디에서 친구를 만나요?

B: 카페에서 친구를 만나요.

1

A: 진은 어디에서 저녁을 먹어요?

B: ______________________.

2

A: 지민은 어디에서 노래를 해요?

B: ______________________.

3

쇼핑몰

A: 슈가는 어디에서 옷을 사요?

B: ______________________.

4

A: 뷔는 어디에서 음료수를 사요?

B: ______________________.

5

A: 제이홉은 어디에서 일해요?

B: ______________________.

6

A: 정국은 어디에서 쉬어요?

B: ______________________.

2. Write "에" or "에서" to complete the sentences.

① 저는 지금 집______ 있어요.

② 케이트는 오늘 스터디 카페______ 가요.

③ 카페______ 슈을 만나요.

④ 지갑______ 돈이 없어요.

⑤ 콘서트장______ 노래를 해요.

⑥ 공원______ 걸어요.

Student Book p. 88

1. Fill in the chart using "A/V 았/었/했어요."

A/V	A/V 아요	A/V 았어요
많다	많아요	많았어요
좋다		
알다		
보다		
나쁘다*		
바쁘다*		
모르다*	몰라요	몰랐어요
A/V	**A/V 어요**	**A/V 었어요**
적다	적어요	적었어요
있다		
풀다		
쉬다		
외우다		
쓰다*		
듣다*		
부르다*		
A/V	**A/V 해요**	**A/V 했어요**
깨끗하다	깨끗해요	깨끗했어요
공부하다		
말하다		

Note that the words marked with * are combined slightly differently!

2. Complete the sentences by choosing the correct expression.

1. A: 어제 뭐 했어요?

   B: 스터디 카페에 가요 / 갔어요 . 거기에서 공부해요 / 공부했어요 .

2. A: 케이트 씨는 지금 뭐 해요?

   B: 공원에서 운동해요 / 운동했어요 .

3. A: 슌 씨는 보통 저녁에 뭐 해요?

   B: 게임을 해요 / 했어요 . 하지만 어제는 노래방에 가요 / 갔어요 .

4. A: 보통 몇 시에 일어나요?

   B: 9시에 일어나요 / 일어났어요 . 하지만 오늘은 10시에 일어나요 / 일어났어요 .

하지만 but

3. Use the given words, or your own words, to complete the dialogues.

요리하다	청소하다	게임을 하다	자다
백화점에서 쇼핑하다	노래방에서 노래를 부르다	공원에서 산책하다	

1. A: 어제 뭐 했어요?

   B: 집에 있었어요.

   A: 집에서 뭐 했어요?

   B: ______________________ . 그리고 ______________________ .

2. A: 어제 뭐 했어요?

   B: 친구를 만났어요.

   A: 친구하고 ______________________ ?

   B: 아니요. ______________________ . 그리고 ______________________ .

4. Complete the different types of sentences using “A/V 았/었/했어요.”

1. This is Kate's diary entry. Read it and answer the questions.

> 한국어 시험이 끝났어요. 오늘은 슌 씨하고 신촌*에 갔어요. 신촌에는 코인 노래방이 많아요. 그래서 같이 코인 노래방에 갔어요. 거기에서 노래를 많이 불렀어요. 방탄소년단 노래도 불렀어요. 저녁은 〈OO 식당〉에서 먹었어요. 〈OO 식당〉은 닭갈비가 유명해요. 우리는 닭갈비하고 비빔밥을 시켰어요. 둘 다 아주 맛있었어요. 밤 9시에 집에 돌아왔어요. 조금 피곤했어요. 하지만 기분이 좋았어요.

*신촌 Shinchon

1) Where did Kate go and what did she do?

→ 코인 노래방에서 ________________. 〈OO 식당〉에서 ________________.

2) Which of the following is NOT true?

① 케이트하고 슌은 오늘 코인 노래방에서 노래를 불렀어요.

② 케이트하고 슌은 저녁에 비빔밥하고 닭갈비를 먹었어요.

③ 케이트는 밤 9시에 집에 돌아왔어요.

④ 케이트는 오늘 집에서 열심히 공부했어요.

끝나다 to end, to be over
닭갈비 *dak-gal-bi* (spicy stir-fried chicken)
유명하다 to be famous
하지만 but

2. Listen to the dialogue again and complete the sentences.

(the morning of the test)

케이트 씨, 시험 공부 많이 [   ]?

네. 어제 하루 종일 [   ] 공부만 했어요. 슌 씨도 많이 했어요?

아니요, 저는 별로 안 했어요. 😆 어제 [   ] 〈달려라 방탄〉만 [   ].

슌 씨도 봤어요? 어제 정말 [   ]!

어? 어제 스터디 카페에서 〈달려라 방탄〉도 봤어요?

에이, 조금 봤어요. 곧 [   ] 시작해요. 우리 모두 파이팅!

네, 파이팅! 😁

Student Book p. 90

Ep.7

한국 카페 투어

Korean Café Tour

Vocabulary

Student Book p. 96

1. Write the given words in the correct categories.

녹차	팥빙수	아메리카노	
유자차	치즈 케이크	홍차	카페라떼

커피	차	디저트
	녹차	

2. Choose the right word from the given words and use "Ⓥ아/어/해요" to complete the sentences.

주문하다	넣다	빼다	추천하다	기다리다

Example 케이트하고 슌이 카운터에서 커피를 ______주문해요______.

❶ 직원이 카푸치노를 ______________. "카푸치노가 맛있어요."

❷ 케이트는 차가운 커피를 좋아해요. 얼음을 많이 ______________.

❸ 슌은 시럽을 좋아하지 않아요. 그래서 시럽을 ______________.

❹ 주문을 마쳤어요. 음료를 ______________.

카운터 counter
주문을 마치다 to finish ordering

Student Book p. 98

1. Complete the sentences using the given words and "V고 싶다."

Example	1	2	3	4
먹다	마시다	만나다	배우다	이야기하다

Example 딸기 케이크를 먹고 싶어요.

1. 차가운 밀크티를 ____________.
2. 방탄소년단을 ____________.
3. 한국어를 ____________.
4. 방탄소년단하고 한국어로 ____________.

2. Complete the sentences using one of the negative forms of "V고 싶다."

Example

A: 아메리카노를 시킬까요?

B1: 아니요, 오늘은 커피를 마시고 싶지 않아요.

B2: 아니요, 오늘은 커피를 안 마시고 싶어요.

1. A: 오늘 저녁에 냉면 먹을까요?

   B: 어제 저녁에 냉면을 먹었어요.
   그래서 오늘은 ____________.

2. A: 오늘 같이 공부할까요?

   B: 오늘은 공부를 ____________.
   놀고 싶어요.

3. A: 테니스를 칠까요?

   B: 미안해요. 지금 조금 피곤해요.
   테니스를 ____________.

4. A: 이 식당에 갈까요?

   B: 식당에 사람이 너무 많아요.
   ____________. 다른 식당에 가요.

3. What do you want to do? Answer in your own words.

Example

A: 지금 뭐 마시고 싶어요?

B: 딸기 주스를 마시고 싶어요.

1 A: 지금 뭐 사고 싶어요?

B: ______________________.

2 A: 생일에 어떤 선물을 받고 싶어요?

B: ______________________.

3 A: 어디를 여행하고 싶어요?

B: ______________________.

4 A: 누가 보고 싶어요?

B: ______________________.

생일 birthday
누가 who

4. Change the underlined parts of the dialogue with the actions and activities below, and say it aloud.

	Suggested Actions	What You Want to Do
Example	여행을 가다	강릉*에 가다, 향호해변*에서 사진을 찍다
1	카페에 가다	디저트 카페에 가다, 팥빙수를 먹다
2	공원에 가다	바람을 쐬다, 자전거를 타다

*강릉 Gangneung 향호해변 Hyangho Beach

Example

A: 내일 뭐 할까요?

B: 여행을 갈까요? 강릉에 가고 싶어요.

A: 거기에서 뭐 하고 싶어요?

B: 향호해변에서 사진을 찍고 싶어요.

바람을 쐬다 to get some air
자전거를 타다 to ride a bike

Student Book p. 100

1. Fill in the chart using "V아/어/해 주다."

V	V아 주세요	V아 줬어요	V아 줄까요?
사다	사 주세요	사 줬어요	사 줄까요?
받다			
잡다			
V	**V어 주세요**	**V어 줬어요**	**V어 줄까요?**
찍다	찍어 주세요	찍어 줬어요	찍어 줄까요?
넣다			
만들다			
기다리다			
가르치다			
쓰다*			
듣다*			
부르다*			
V	**V해 주세요**	**V해 줬어요**	**V해 줄까요?**
이야기하다	이야기해 주세요	이야기해 줬어요	이야기해 줄까요?
추천하다			
전화하다			
답장하다			

Note that the words marked with * are combined slightly differently!

2. Match the parts related to each other and complete the sentences using "V 아/어/해 주세요."

Example 집이 많아요 • —— • 좀 들다

1. 이 카페에 처음 왔어요 • • 길을 알리다
2. 약국이 어디에 있어요? • • 음료를 추천하다
3. 지금은 조금 바빠요 • • 천천히 말하다
4. 말이 조금 빨라요 • • 나중에 전화하다

짐 luggage
처음 first time
길 direction; road
천천히 slowly
말 speech
빠르다 to be fast
나중에 later

Example 짐이 많아요. 좀 들어 주세요.

1. ______________________
2. ______________________
3. ______________________
4. ______________________

Tip!
When asking for a favor using "V 아/어/해 주세요," you can add "좀" (a little) to the beginning to sound friendlier.

3. Choose the right expression from the box and use the given words to complete the sentences.

V 아/어/해 주세요.	V 아/어/해 줬어요.	V 아/어/해 줄까요?

1. A: 사진 좀 ______________ (찍다)
   B: 네, 카메라 주세요.

2. A: 아이스 카페라떼 하나 주세요.
   B: 네, 잠시만 ______________ (기다리다)

3. A: 한국어를 배우고 싶어요.
   B: 그래요? 제가 ______________ (가르치다)

4. A: 케이크가 너무 예뻐요. 이거 직접 만들었어요?
   B: 아니요, 슌 씨가 ______________ (만들다)

직접 oneself

1. Is there anything you would like to ask BTS to do? Write a message to BTS and upload it to Weverse.

bora***

방탄소년단, 위버스에 많이 와 주세요. 이야기하고 싶어요!

______

______

2. Listen to the dialogue again and complete the sentences.

Student Book p. 102

(looking at the menu in a café)

슌 씨, 뭐 [ ] ?

음... 저는 아이스 밀크티 [ ] . 케이트 씨는 뭐가 당겨요?

저는 아이스 [ ] 요. 우리 딸기 케이크도 먹어요.

(moves to the counter)

안녕하세요. 아이스 아메리카노하고 아이스 밀크티 주세요.
[ ] 도 하나 주세요.

네, 만 육천오백 원입니다. 매장에서 드시고 가세요?

네. 그리고 밀크티는 [ ] 반만 [ ] .

네, 알겠습니다. 영수증 드릴까요?

아니요, 영수증은 [ ] .

주말 나들이 (Feat. 서울)

Weekend Outing (Feat. Seoul)

Vocabulary

Student Book p. 108

1. Choose the right word from the given words to complete the sentences.

타다	사다	응원하다	구경하다	빌리다

Example 지하철역에서 지하철을 ___타요___.

❶ 경복궁을 ______________.

❷ 매표소에서 표를 ______________.

❸ 한복 대여점에서 한복을 ______________.

❹ 공연장에서 방탄소년단을 ______________.

2. Do you know BTS' birthdays? Write the members' birthdays in Korean.

Example

구월 십이 일

1

____

2

____

방탄소년단	생일
알엠	September 12
진	December 4
슈가	March 9
제이홉	February 18
지민	October 13
뷔	December 30
정국	September 1

3

____

4

____

5

____

6

____

Student Book p. 110

1. Fill in the chart using "V(으)ㄹ 거예요."

V	V을 거예요	V	Vㄹ 거예요
먹다	먹을 거예요	사다	살 거예요
찍다		보다	
읽다		타다	
넣다		빌리다	
입다		관람하다	
듣다*		놀다	

Note that the words marked with * are combined slightly differently!

2. Choose the right word from the given words to complete the sentences.

공부하다	타다	쉬다	일어나다
가다	먹다	사다	입다

Example 어제 집에서 공부했어요. 오늘은 카페에서 공부할 거예요.

1. 오늘은 놀이공원에 갔어요. 내일은 콘서트에 ____________.
2. 아침을 안 먹었어요. 점심을 많이 ____________.
3. 시간이 없어요. 택시를 ____________.
4. 내일 아침 9시에 시험이 있어요. 내일은 일찍 ____________.
5. 이번 주에 너무 많이 일했어요. 주말에는 ____________.
6. 내일은 슌 씨 생일이에요. 제가 케이크를 ____________.
7. 내일 여자 친구하고 경복궁에 가요. 한복을 ____________.

택시 taxi
여자 친구 girlfriend

3. Write about the following week based on the notes below.

월요일	화요일	수요일	목요일	금요일	토요일	일요일
• 공원 • 운동하다	• 학교 • 한국어 수업 • 듣다	• 서점 • 한국어 책 • 사다	오늘	• 코인 노래방 • 노래 • 부르다	• 공연장 • 뮤지컬 • 보다	• 집 • 일기 • 쓰다

Example 1 월요일은 공원에서 운동했어요.

❶ 화요일은 ________ 에서 ________________ . 열심히 공부했어요.

❷ 수요일은 ________ 에서 ________________ . 집에서 그 책을 읽었어요.

Example 2 내일은 코인 노래방에서 노래를 부를 거예요.

❸ 토요일은 ________ 에서 ________________ .

❹ 이번 주는 정말 바빠요. 일요일은 쉴 거예요. ________ 에서 ________________ .

뮤지컬 musical
일기 diary

4. Take notes about your weekend plans and complete the dialogue.

Example

- 어디에 가요? 놀이공원
- 누구하고 가요? 남자 친구
- 거기에서 뭐 해요? 놀이기구를 많이 타다

A: 이번 주말에 뭐 해요?

B: 남자 친구하고 놀이공원에 갈 거예요.
거기에서 놀이기구를 많이 탈 거예요.

Your Weekend Plans

- 어디에 가요? ________________
- 누구하고 가요? ________________
- 거기에서 뭐 해요? ________________

A: 이번 주말에 뭐 해요?

B: ________ 하고 ________________ .
거기에서 ________________ .

남자 친구 boyfriend

Student Book p. 112

1. Complete the sentences using the given words.

Example 아침을 ___먹고___ 학교에 가요. (먹다)

❶ 수업을 __________ 식당에 가요. (듣다)

❷ 저는 냉면을 __________ 친구는 빈대떡을 시켜요. (시키다)

❸ 냉면이 __________ 맛있어요. (시원하다)

❹ 이 식당은 음식이 __________ 직원이 친절해요. (맛있다)

2. Combine the two sentences into one.

Example 김밥이 싸요. 그리고 맛있어요.

→ ___김밥이 싸고 맛있어요___.

❶ 이 치즈 케이크는 비싸요. 그리고 맛없어요.

→ ______________________________.

❷ 방이 넓어요. 그리고 깨끗해요.

→ ______________________________.

❸ 저 사람은 키가 커요. 그리고 머리가 짧아요.

→ ______________________________.

❹ 이 책은 어렵지 않아요. 그리고 재미있어요.

→ ______________________________.

❺ 방탄소년단은 멋있어요. 그리고 노래도 잘 불러요.

→ ______________________________.

❻ 저는 〈IDOL〉을 좋아해요. 그리고 슌 씨는 〈봄날〉을 좋아해요.

→ ______________________________.

맛없다 to not be tasty
어렵다 to be difficult

3. Write what Kate and Shun did yesterday and what they will do tomorrow.

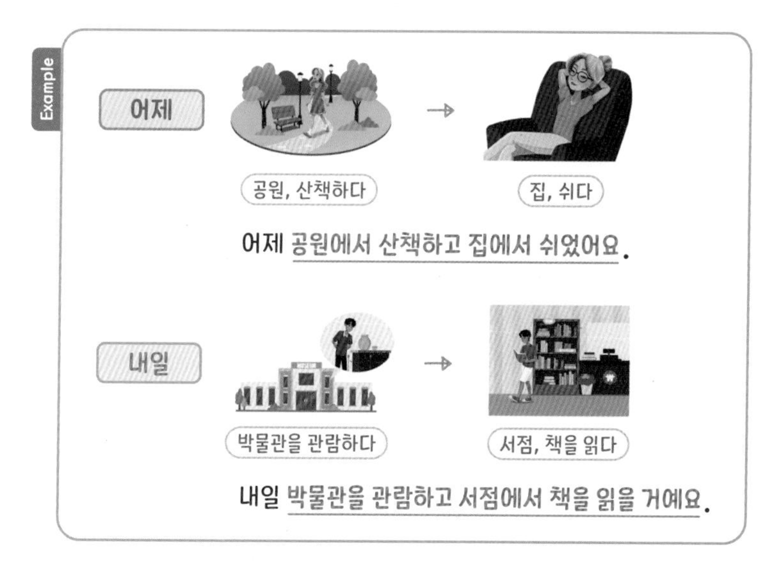

❶ 어제

어제 ______________________________.

❷ 내일

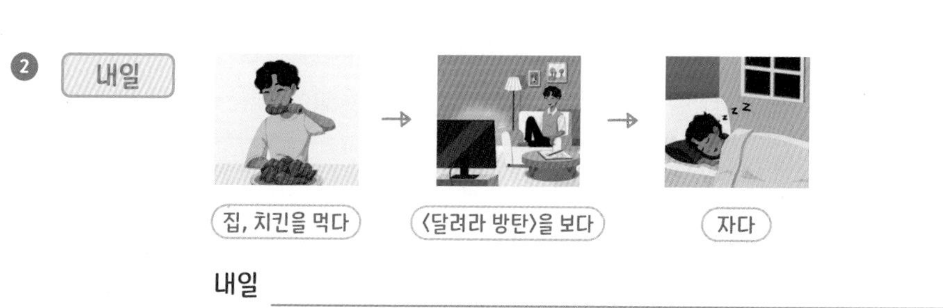

내일 ______________________________.

4. Write what you did yesterday and what you will do tomorrow.

❶ 어제 ______________________________.

❷ 내일 ______________________________.

Wrap-up Practice

인생샷 a photo of a lifetime (a great photo)
남기다 to leave

1. This is Kate's social media post. Write your weekend plans in Korean and upload them on social media.

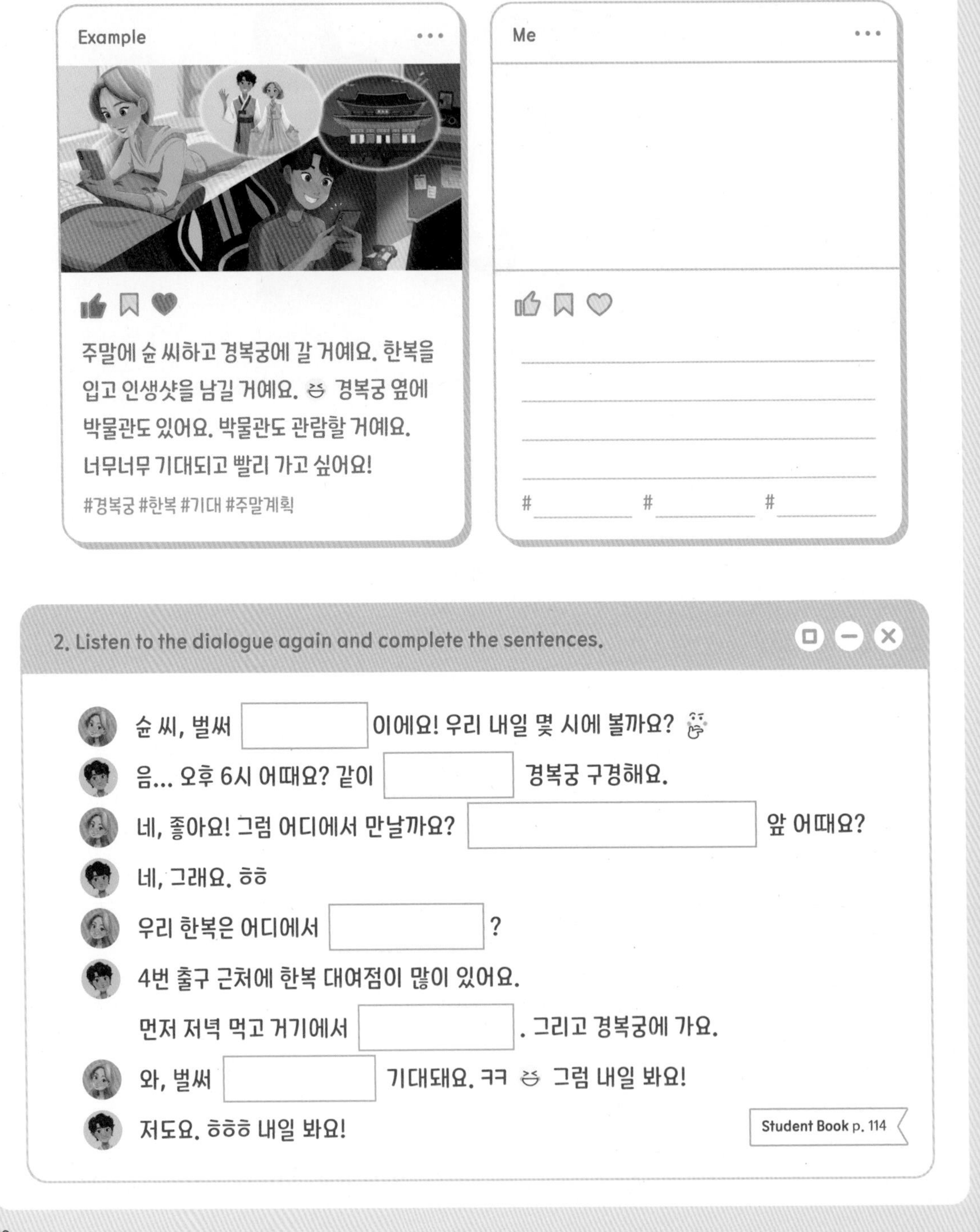

2. Listen to the dialogue again and complete the sentences.

슌 씨, 벌써 (   ) 이에요! 우리 내일 몇 시에 볼까요?

음... 오후 6시 어때요? 같이 (   ) 경복궁 구경해요.

네, 좋아요! 그럼 어디에서 만날까요? (   ) 앞 어때요?

네, 그래요. ㅎㅎ

우리 한복은 어디에서 (   ) ?

4번 출구 근처에 한복 대여점이 많이 있어요.

먼저 저녁 먹고 거기에서 (   ) . 그리고 경복궁에 가요.

와, 벌써 (   ) 기대돼요. ㅋㅋ 그럼 내일 봐요!

저도요. ㅎㅎㅎ 내일 봐요!

Student Book p. 114

Ep. 9 한국에서 즐기는 취미 생활

Hobbies to Enjoy in Korea

Vocabulary

Student Book p. 120

1. Choose one of the given words for the blanks of each column.

하다	치다	타다

①	②	③
기타를 ______	요리를 ______	자전거를 ______
테니스를 ______	수영을 ______	지하철을 ______
피아노를 ______	노래를 ______	버스를 ______
	축구를 ______	

피아노 piano

2. Choose the right word and complete the sentences.

Example 한국어를 안 배웠어요. 한국어를 ___못해요___. (잘하다 / 못하다)

① 시험에 합격했어요. 정말 __________. (기쁘다 / 슬프다)

② 친구들 앞에서 노래를 불러요. 저는 노래를 잘해요. __________. (자신 있다 / 자신 없다)

③ 춤을 정말 열심히 췄어요. 그래서 조금 __________. (놀라다 / 피곤하다)

④ 〈달려라 방탄〉 새 에피소드가 나왔어요. 빨리 보고 싶어요. 너무 __________. (무섭다 / 궁금하다)

⑤ 사람들 앞에서 발표를 해요. 사람이 아주 많아요. 조금 __________. (긴장되다 / 재미없다)

합격하다 to pass
에피소드 episode
발표 presentation

Student Book p. 122

1. Fill in the chart using "V(으)ㄹ 수 있다."

V	V을 수 있다	V	Vㄹ 수 있다
읽다	읽을 수 있다	사다	살 수 있다
받다		치다	
먹다		잘하다	
듣다*		수영하다	
걷다*		들다	

Note that the words marked with * are combined slightly differently!

2. Complete the dialogues using the given words.

Example

A: 기타를 칠 수 있어요?
B: 네, 칠 수 있어요.

A: 기타를 칠 수 있어요?
B: 아니요, 못 쳐요.

1

A: ____________________?
B: 네, ____________________.

2

A: ____________________?
B: 아니요, ____________________.

3

A: ____________________?
B: 네, ____________________.

4

A: ____________________?
B: 아니요, ____________________.

3. Complete the sentences that correspond to each situation.

Example 1 탁구를 배웠어요. → 탁구를 칠 수 있어요. (치다)

Example 2 탁구를 배우지 않았어요. → 탁구를 칠 수 없어요. (치다)

1. 다리가 아파요. → 운동을 ________. (하다)
2. 교통카드가 있어요. → 버스를 ________. (타다)
3. 한글을 몰라요. → 한글을 ________. (읽다)
4. 방탄소년단 노래를 잘 알아요. → 방탄소년단 노래를 ________. (부르다)
5. 이어폰이 있어요. → 노래를 ________. (듣다)
6. TV가 고장 났어요. → TV를 ________. (보다)

탁구 table tennis
고장 나다 to stop working

4. What are some things you can or cannot do at places like movie theaters or museums? Check what you can or cannot do and say them aloud as shown below.

Places	Actions	Acceptable?
영화관	음식을 먹다	✓
	전화를 하다	✕
	음료를 마시다	
박물관	천천히 관람하다 to take your time looking around	
	작품을 만지다 to touch the pieces	
	담배를 피우다 to smoke cigarettes	
비행기 plane	자다	
	술을 마시다 to drink alcohol	
	영화를 보다	
	큰 소리로 이야기하다 to talk loudly	

Example

영화관에서는 음식을 먹을 수 있어요.
전화를 할 수 없어요.

박물관에서는

비행기 안에서는

Student Book p. 124

1. Fill in the charts using "A/V 아/어/해서."

A/V	A/V 아서
좋다	좋아서
작다	
가다	
놀라다	
모르다*	

Note that the words marked with * are combined slightly differently!

A/V	A/V 해서
잘하다	잘해서
못하다	
좋아하다	
궁금하다	

A/V	A/V 어서
있다	있어서
늦다	
힘들다	
긴장되다	
기쁘다*	
슬프다*	
듣다*	
무섭다*	무서워서
즐겁다*	

2. Match the parts related to each other and complete the sentences using "A/V 아/어/해서."

Example 날씨가 좋다 • ——— • 공원에서 산책했어요

1. 일을 많이 하다 • • 조금 피곤했어요
2. 영화가 너무 슬프다 • • 열심히 공부할 거예요
3. 시험이 있다 • • 많이 울었어요
4. 가방이 무겁다 • • 반가워요
5. 만나다 • • 들 수 없어요

울다 to cry
반갑다 to be glad

Example 날씨가 좋아서 공원에서 산책했어요.

1. ____________________.
2. ____________________.
3. ____________________.
4. ____________________.
5. ____________________.

3. Which songs and music videos do you like? Write the ones you like and why. Then change the underlined parts of the dialogue below, and say it aloud.

	Topic	What You Like	Why
Example	노래	〈봄날〉	가사가 예쁘다
1	노래		
2	뮤직비디오 music video		

Example

A: 어떤 노래를 좋아해요?

B: 저는 〈봄날〉을 좋아해요.

A: 왜요?

B: 가사가 예뻐서요.

1. Read Kate and Shun's text messages and answer the questions.

케이트 씨, 드디어 오늘 쿠킹 클래스에 가요!
오전 11:01 우리 4시 반에 역 앞에서 만나요.
오후 3:35 케이트 씨, 바빠요?
아... ㅠㅠ 미안해요, 슌 씨. 오후 3:36
2) ______ 메시지를 못 봤어요. 오후 3:37
아, 다행이에요. 연락이 안 돼서 놀랐어요.
오후 3:38 쿠킹 클래스 3) ______?
당연하죠! 그럼 이따 봐요. 오후 3:38
오후 3:38 네. ㅎㅎㅎ

1) Why did Shun send another message to Kate at 3:35? Answer in Korean.

2) What is NOT a suitable answer for the blank?

① 너무 바빠서
② 친구하고 영화를 봐서
③ 핸드폰 배터리가 없어서
④ 요리하는 것을 좋아해서

3) Choose the most suitable answer for the blank.

① 먹을 수 있어요 ② 올 수 있어요
③ 쉴 수 있어요 ④ 볼 수 있어요

드디어 finally 다행이에요. That's a relief.
연락이 안 되다 to be unable to reach or contact
당연하죠. Of course. 이따 later 배터리 battery

2. Listen to the dialogue again and complete the sentences.

(after learning a dance)

Student Book p. 126

K-POP 댄스 클래스 정말 [ ]. 케이트 씨는 여기 자주 와요?

네, 춤을 [ ] 자주 와요. 슌 씨는 취미가 뭐예요?

저는 [ ]을 좋아해요. 그래서 집에서 요리를 자주 해요.

와, 멋있어요. 저 슌 씨 요리 너무 [ ]!

마침 다음 주말에 한국 요리 쿠킹 클래스에 가요. 케이트 씨도 같이 가요!

저도 [ ]? 저는 요리를 [ ] 자신 없어요.

괜찮아요. 케이트 씨도 [ ]. 저만 믿어요.

하하, 그래요. 슌 씨가 잘 가르쳐 주세요.

Ep. 10 한국 옷 가게에서 쇼핑하기

Shopping at a Korean Clothing Store

Vocabulary

Student Book p. 132

1. What color is it? Choose the right word from the given words and fill in the blanks.

분홍색	빨간색	노란색	초록색	하얀색

❶ ______

❷ ______

Example 분홍색

❸ ______

❹ ______

2. What is BTS wearing? Choose the right word from the given words to complete the sentences.

청바지	재킷	선글라스	
카디건	모자	티셔츠	운동화

Example 진이 청바지를 입었어요.

❶ 제이홉이 ______________________.

❷ 슈가가 ______________________.

❸ 알엠이 ______________________.

❹ 정국이 ______________________.

❺ 뷔가 ______________________.

❻ 지민이 ______________________.

Student Book p. 134

1. Fill in the charts using "A(으)ㄴ."

A	A 은
많다	많은
좋다	
얇다	
크지 않다	
많지 않다	
두껍다*	
가볍다*	
무겁다*	
맵다*	

Note that the words marked with * are combined slightly differently!

A	A ㄴ
예쁘다	예쁜
편하다	
싸다	
크다	
길다	
힘들다	

A	A 는
있다	있는
없다	
맛있다	
맛없다	
재미있다	
재미없다	
멋있다	

2. Complete the sentences using the given words.

Example 불편한 신발은 신고 싶지 않아요. (불편하다)

1. 저는 ________ 머리가 편해요. (짧다)
2. ________ 물을 마시고 싶어요. (시원하다)
3. 숀 씨는 ________ 친구예요. (좋다)
4. ________ 선물은 조금 부담스러워요. (비싸다)
5. 백화점에 ________ 옷이 많아요. (괜찮다)
6. ________ 가방은 추천하지 않아요. (무겁다)
7. 요즘 ________ 치마가 인기가 많아요. (길다)
8. 이 책에서 ________ 방탄소년단 사진을 볼 수 있어요. (멋있다)

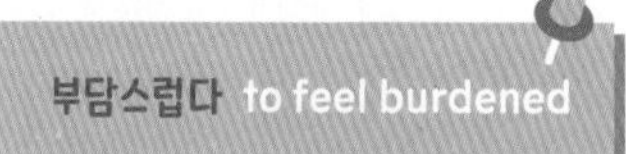

3. Answer the questions using the given words.

Example
A: 어떤 사람을 좋아해요?
B: 재미있는 사람을 좋아해요. (재미있다)

❶ A: 어떤 셔츠를 샀어요?
B: ________________. (크다)

❷ A: 어떤 영화를 봤어요?
B: ________________. (감동적이다)

❸ A: 어떤 음식을 좋아해요?
B: ________________. (맵다)

❹ A: 어떤 노래를 많이 들어요?
B: ________________. (슬프다)

❺ A: 방탄소년단은 어떤 가수예요?
B: ________________. (인기 많다)

❻ A: 어떤 집에 살고 싶어요?
B: ________________. (your answer)

4. You are in a clothing store trying things on. Change the underlined parts of the dialogue with the words below, and say it aloud.

	Items	Description
Example	구두	불편하다 (↔ 편하다)
❶	모자	크다 (↔ 작다)
❷	원피스	길다 (↔ 짧다)
❸	바지	얇다 (↔ 두껍다)

A: 구두 어떠세요?
B: 음, 조금 불편해요.
더 편한 구두 있어요?
A: 그럼 이 구두는 어떠세요?

어떠세요? How is it? (honorific of "어때요?")

Student Book p. 136

1. Fill in the chart using "V아/어/해 보다."

Note that the words marked with * are combined slightly differently!

V	V아 보세요	V아 볼까요?	V아 보고 싶어요
가다	가 보세요	가 볼까요?	가 보고 싶어요
찾다			
고르다* to choose			
V	**V어 보세요**	**V어 볼까요?**	**V어 보고 싶어요**
입다	입어 보세요	입어 볼까요?	입어 보고 싶어요
신다			
배우다			
만들다			
쓰다*			
듣다*			
부르다*			
V	**V해 보세요**	**V해 볼까요?**	**V해 보고 싶어요**
하다	해 보세요	해 볼까요?	해 보고 싶어요
구경하다			
이야기하다			

2. Choose the right word from the given words and use the given expressions to complete the sentences.

신다 먹다
듣다 쓰다 타다

Example

A: 이 구두 예쁘지 않아요?

B: 와, 예뻐요. 한번 신어 보세요. (-아/어/해 보세요)

1. A: 한국 음식을 먹어 보고 싶어요. 어떤 음식이 맛있어요?
   B: 떡볶이가 맛있어요. 한번 ______________. (-아/어/해 보세요)

2. A: 운동을 시작하고 싶어요. 어떤 운동이 좋아요?
   B: 자전거 어때요? 같이 ______________? (-아/어/해 볼까요?)

3. A: 방탄소년단 노래를 추천해 주세요.
   B: 〈Take Two〉를 ______________. 너무 좋아요. (-아/어/해 보세요)

4. A: 방탄소년단에게 한국어로 편지를 ______________. (-아/어/해 보고 싶어요)
   B: 그래요? 제가 도와줄까요?

에게 to

3. Complete the sentences and make recommendations about Korea.

Topics	Korea	추천해 보세요.
Tourist Attraction	경복궁에 가다	Example 경복궁에 가 보세요.
Activity	한복을 입다	① ______________.
Restaurant	〈OO식당〉에 가다	② ______________.
Food	비빔밥을 먹다	③ ______________.
Drink	유자차를 마시다	④ ______________.

4. If BTS came to your country or region, what would you like to recommend to them?
   Write recommendations about your country or region.

Topics	Your Country or Region	추천해 보세요.
Tourist Attraction	______________	______________.
Activity	______________	______________.
Restaurant	______________	______________.
Food	______________	______________.
Drink	______________	______________.

1. This is Kate's blog post. Read and answer the questions.

즐거운 쇼핑, 〈OO 쇼핑몰〉 후기 — Kate's Blog

어제 옷을 사고 싶어서 친구하고 같이 〈OO 쇼핑몰〉에 갔어요.

쇼핑몰에 예쁜 옷이 정말 많았어요. 저는 보라색 바지하고 긴 분홍색 원피스를 샀어요. 친구는 멋진 재킷을 하나 샀어요. (사실, 옷을 더 사고 싶었어요... ㅋㅋㅋ 하지만 참았어요.)

쇼핑몰 시설도 괜찮았어요. 매장도 깨끗하고 쇼핑몰 안 카페도 좋았어요. 직원들도 모두 친절해서 쇼핑이 더 즐거웠어요.

그래서 〈OO 쇼핑몰〉 추천해요. 여러분도 한번 ___?___. 저도 다음에 또 갈 거예요!

1) Which of the following does NOT match the information from Kate's blog post?

① 쇼핑몰에 사람이 많았어요.
② 케이트는 바지하고 원피스만 샀어요.
③ 쇼핑몰 안에 괜찮은 카페가 있었어요.
④ 케이트는 〈OO 쇼핑몰〉이 마음에 들었어요.

2) Fill in the blank.

______________________.

후기	review	사실	actually
하지만	but	참다	to hold back
시설	facilities		

2. Listen to the dialogue again and complete the sentences.

Student Book p. 138

슌 씨, 이 [　　　] 어때요?
와, 잘 어울려요.
그렇죠? [　　　] 이 예뻐서 저도 마음에 들어요.
음... 근데 조금 크지 않아요?
그래요? 한 사이즈 [　　　] 도 [　　　] ?
(to a salesperson) 저기요. 혹시 이 바지 스몰(Small) 사이즈 있어요?
네, 잠시만요. 가져다드릴게요.
감사합니다.
(after buying the pants)
이제 슌 씨 재킷 같이 [　　　] ?
네, 좋아요. 저쪽에 ...
어? 슌 씨, 이 [　　　] 보세요. 너무 예뻐요!
아, 네. 원피스도 [　　　] , 하하.

Ep. 11 한국 여행 (Feat. 방탄 투어)

Traveling Around Korea (Feat. BTS Tour)

Vocabulary

Student Book p. 144

1. Match the parts related to each other and complete the sentences.

Example 기차	• —— •	기차역	Example	기차역에서 기차를 타요.
❶ 비행기	•	• 버스 터미널	❶	____________.
❷ 고속버스	•	• 지하철역	❷	____________.
❸ 지하철	•	• 공항	❸	____________.
❹ 시내버스	•	• 버스 정류장	❹	____________.

2. Choose the right words from the given words and use the given expressions to complete the sentences.

계획을 세우다	기억에 남다	찾아보다
출발하다	도착하다	인증샷을 찍다

이번 주말에 슌 씨하고 맹방해수욕장 여행을 갈 거예요.

슌 씨가 여행 계획을 세우고(-고), 저는 맛집을 ❶ ____________(-았/었/했어요).

우리 계획을 이야기해 볼까요?

먼저 서울 고속버스 터미널에서 아침에 고속버스를 타고 ❷ ____________(-(으)ㄹ 거예요).

그리고 동해* 터미널에서 시외버스를 타고 맹방해수욕장에 ❸ ____________(-(으)ㄹ 거예요).

맹방해수욕장에서 ❹ ____________(-고 싶어요).

빨리 여행을 가고 싶어요! 이 여행은 오래 ❺ ____________(-(으)ㄹ 거예요).

*동해 Donghae

오래 (for) a long time

Student Book p. 146

1. Fill in the chart using "V(으)ㄴ," "V는," or "V(으)ㄹ."

V	V(으)ㄴ	V는	V(으)ㄹ
찾다	찾은	찾는	찾을
찍다			
여행하다			
찾아보다			
만들다			
살다			
걷다*			
읽지 않다			
하지 않다			

Note that the words marked with * are combined slightly differently!

2. How well do you know BTS? Complete the sentences using the given words.

Example A: 방탄소년단이 경복궁에서 부른 노래가 뭐예요? (부르다, 노래)
B: 〈IDOL〉, 〈Dynamite〉, 〈소우주 (Mikrokosmos)〉예요.

① A: 방탄소년단이 처음으로 ___________가 언제예요? (열다, 콘서트)
B: 2014년이에요.

② A: 방탄소년단이 〈Butter〉 앨범 사진을 ___________가 어디예요? (찍다, 장소)
B: 맹방해수욕장이에요.

③ A: 방탄소년단이 〈IN THE SOOP 2〉에서 ___________가 어디에 있어요? (이용하다, 숙소)
B: 강원도 평창에 있어요.

처음으로 for the first time
이용하다 to use

3. Match the parts accordingly and complete the sentences using "V는."

Example 부산에 가다	————	고속버스를 기다려요
① 한국 물건을 팔다	•	• 운동은 축구예요
② 케이트 씨가 못 먹다	•	• 가게가 이 근처에 있어요
③ 제가 요즘 자주 하다	•	• 영화는 공포 영화예요
④ 제가 즐겨 보다	•	• 한국 음식은 육회예요

Example 부산에 가는 고속버스를 기다려요.

① ______________________.

② ______________________.

③ ______________________.

④ ______________________.

팔다 to sell
가게 store
공포 horror

4. Choose the right word from the given words and use "V(으)ㄹ" to complete the sentences.

타다	입다	이야기하다	돌아가다

Example A: 우리가 탈 버스가 몇 번이에요?
B: 152번 버스예요. 조금만 기다려요.

① A: 요즘 한국어 공부 어때요?
B: 조금 힘들어요. 같이 한국어로 ________ 친구가 없어요.

② A: 곧 졸업식이에요. 뭐 입을 거예요?
B: ________ 옷이 없어요. 주말에 백화점에 같이 가 줄 수 있어요?

③ A: 일 다 했어요? 이제 집에 ________ 시간이에요.
B: 네, 다 했어요. 이제 가요.

졸업식 graduation

Expression 2

Ⓐ(으)ㄴ 것 같다, Ⓥ는 것 같다

Student Book p. 148

1. Fill in the charts using "Ⓐ(으)ㄴ 것 같다" or "Ⓥ는 것 같다."

A	A (으)ㄴ 것 같다
좋다	좋은 것 같다
적다	
크다	
멀다	
있다	
재미없다	
아쉽다*	
가볍다*	

Note that the words marked with * are combined slightly differently!

V	V는 것 같다
자다	자는 것 같다
오다	
듣다	
준비하다	
좋아하다	
알다	
살다	

2. Choose the right word from the given words to complete the sentences.

먹다	듣다	놀다	좋아하다	슬프다	맵다	막히다

Example 케이트가 식당에 갔어요. 지금 점심을 ______먹는 것 같아요______.

① 케이트는 큰 가방이 많아요. 큰 가방을 ____________________.

② 케이트는 지금 코인 노래방에 있어요. 재미있게 ____________________.

③ 케이트가 대답을 안 해요. 이어폰을 끼고 노래를 ____________________.

④ 슌이 영화를 보고 울었어요. 영화가 ____________________.

⑤ 슌이 라면을 먹어요. 그런데 물을 많이 마셔요. 라면이 ____________________.

⑥ 슌이 아직 안 왔어요. 차가 많아서 길이 ____________________.

대답 answer
끼다 to put in; to wear

Student Book p. 149

3. Fill in the chart using "A/V (으)ㄹ 것 같다."

A/V	A/V 을 것 같다	A/V	A/V ㄹ 것 같다
늦다	늦을 것 같다	빠르다	빠를 것 같다
좋다		도착하다	
남다		싸다	
듣다*		돌아가다	
무겁다*		울다	
귀엽다* to be cute		힘들다	

Note that the words marked with * are combined slightly differently!

4. Choose the right word from the given words to complete the sentences.

출발하다	바쁘다	많다	기다리다	아쉽다	맛있다

Example A: 케이트 씨, 벌써 9시예요. 아직 안 갔어요?

B: 제가 늦잠을 자서 10시에 ___출발할 것 같아요___.

1. A: 제가 추천한 그 맛집에 갈 거예요?

   B: 네. 그런데 그 식당은 너무 유명해서 사람이 ____________.
   그래서 조금 오래 ____________.

2. A: 그 식당에서 뭐 먹을 거예요?

   B: 닭갈비하고 야채튀김을 먹을 거예요. 아주 ____________.

3. A: 맹방해수욕장에서 뭐 할 거예요?

   B: 소원 리본 체험도 하고 수영도 할 거예요. 조금 ____________.

4. A: 일요일에 돌아와요? 여행이 조금 짧지 않아요?

   B: 맞아요. 그래서 좀 ____________.

늦잠을 자다 to oversleep
오래 (for) a long time

제주도 Jeju-do	그때 that time
SNS social media	한라산 Hallasan Mountain

1. Is there a place you want to travel to? Using the expressions you learned, answer the travel interview questions.

Questions	Example	My Answers
어디에 가 보고 싶어요?	제주도에 가 보고 싶어요.	
언제 갈 거예요?	12월에 갈 거예요. 그때 시간이 있을 것 같아요.	
어떻게 갈 거예요?	비행기를 타고 갈 거예요.	
거기에서 뭐 하고 싶어요?	방탄소년단이 사진을 찍은 장소에서 저도 인증샷을 찍고 싶어요.	
거기에서 뭐 먹고 싶어요?	SNS에서 본 한라산 케이크를 먹고 싶어요.	

2. Listen to the dialogue again and complete the sentences.

드디어 ______ ! 슌 씨가 계획을 잘 ______ 편하게 왔어요. 고마워요.

아니에요. ☺ (looking at the ocean) 와, 바다가 너무 예뻐요.

어? 저 파라솔하고 선베드, 〈Butter〉 앨범에서 봤어요!

맞아요. 그래서 ______ 사람들이 정말 ______ .
우리도 저기에서 ______ 찍을까요?

좋아요. 사진 찍고 저쪽에서 소원 리본 체험도 해요.

네. 그리고 케이트 씨가 ______ 그 맛집도 가요!

네! 자, 여기 보세요. 하나, 둘, 셋! (Click!)

(on the way back from the trip)

슌 씨, 오늘 정말 즐거웠어요. 너무 좋아서 앞으로 계속 생각 날 것 같아요.

그러게요. 저도 오늘이 ______ .

Student Book p. 152

Ep. 12 한국 생활 꿀팁 모음!

"꿀" Tips for Living in Korea!

Vocabulary

Student Book p. 158

1. Read the following paragraph and write T if the sentence is true and F if the sentence is false.

> 한국에는 봄, 여름, 가을, 겨울이 있어요. 먼저 봄에는 날씨가 따뜻해요. 그래서 나들이를 가는 사람이 많아요. 여름은 정말 더워서 사람들이 바다에 많이 가요. 그리고 비가 많이 와서 아주 습해요. 가을은 날씨가 덥지 않고 시원해서 산에 가는 사람들이 많아요. 겨울은 아주 춥고 건조해요. 그리고 눈도 와서 겨울 스포츠를 즐기는 사람이 많아요. 여러분은 언제 한국에 오고 싶어요?

① 봄에는 사람들이 나들이를 많이 가요. ( )

② 여름은 덥고 비가 많이 와요. ( )

③ 가을은 아주 습해요. ( )

④ 겨울에는 바다에 가는 사람들이 많아요. ( )

나들이 outing
스포츠 sports
즐기다 to enjoy

2. Choose the right word from the given words to complete the sentences.

장바구니	배송비	가격	리뷰	구매

Example 장바구니에 살 물건을 넣어요.

① 인터넷에서 상품평이 좋은 화장품을 ________ 할 거예요.

② 할인을 받아서 ________ 이/가 아주 싸요.

③ 다른 사람들이 쓴 ________ 을/를 꼭 읽어요.

④ 요즘은 ________ 이/가 없는 '무료배송' 쇼핑몰이 많아요.

Student Book p. 160

1. Complete the sentences using the given words.

Example 한국에 도착하면 먼저 교통카드를 사세요. (도착하다)

① 날씨가 ________ 한강공원에서 자전거를 타 보세요. (좋다)

② 비가 ________ 근처 편의점에 가 보세요. 우산을 살 수 있어요. (오다)

③ 날씨가 ________ 따뜻한 차를 드세요. (춥다)

④ 맛있는 음식이 ____________ 〈ㅁㅁ 식당〉에 가 보세요. 음식이 정말 괜찮아요. (먹고 싶다)

2. Complete the sentences using the given words.

Example A: 주말에 뭐 할 거예요?
B: 비가 오면 집에서 드라마를 보고 안 오면 공원에서 운동할 거예요. (오다)

① A: 경복궁에 뭐 타고 갈까요?
B: 길이 ________ 지하철을 타고 ________ 택시를 탈까요? (막히다)

② A: 오늘 쇼핑몰 가요? 뭐 살 거예요?
B: 화장품 할인을 ________ 화장품을 사고 ________ 구경만 할 거예요. (하다)

③ A: 뭐 먹을까요?
B: 이 떡볶이 많이 매워요? ________ 다른 음식을 먹고 ________ 떡볶이 먹어요. (맵다)

④ A: 저녁에 뭐 할 거예요?
B: ____________ 숙소에서 쉬고 ____________ 홍대*에 갈 거예요. (피곤하다)

⑤ A: 저녁은 저 식당에서 먹을까요?
B: 음, 자리가 ________ 저 식당에서 먹고 ________ 다른 식당에 가요. (있다)

*홍대 Hongik University;
neighborhood near Hongik University

3. Tell us about your daily life by answering the questions.

어떻게 what; how
스트레스 stress

Example A: 시간이 있어요. 그럼 보통 뭐 해요?

B: 시간이 있으면 보통 친구들하고 게임을 해요.

❶ A: 친구들하고 같이 놀아요. 그럼 보통 뭐 해요?

B: ______________________________.

❷ A: 날씨가 너무 더워요. 그럼 어떻게 해요?

B: ______________________________.

❸ A: 스트레스를 받아요. 그럼 어떻게 해요?

B: ______________________________.

❹ A: 감기에 걸렸어요. 그럼 어떤 음식을 먹어요?

B: ______________________________.

4. Let's answer some fun imaginary questions.

돈 money
고향 hometown
초능력 supernatural power
가지다 to have

Example A: 돈이 많으면 뭐 하고 싶어요?

B: 돈이 많으면 넓은 집을 사고 싶어요.

❶ A: 돈이 많으면 뭐 하고 싶어요?

B: ______________________________.

❷ A: 한국어를 아주 잘하면 뭐 하고 싶어요?

B: ______________________________.

❸ A: 방탄소년단이 여러분 고향에 오면 같이 뭐 하고 싶어요?

B: ______________________________.

❹ A: 초능력이 생기면 어떤 능력을 가지고 싶어요?

B: ______________________________.

Expression 2

Student Book p. 162

1. Complete the sentences using the given words.

Example A: 공항에 뭐 타고 갈까요?
B: 길이 막히니까 지하철을 탈까요? (막히다)

① A: 바닷가에서 잠깐 산책할까요?
B: 지금은 바람이 많이 ________ 숙소에서 쉬어요. (불다)

② A: 한국 사람들은 비가 오면 빈대떡을 먹는 것 같아요.
B: 그래요? 지금 비가 ________ 우리도 먹어 볼까요? (오다)

③ A: 조금 ________ 불을 켤까요? (어둡다)
B: 네, 좋아요. 고마워요.

④ A: 이번 여행은 어디 갈까요? 부산 어때요?
B: 부산은 작년에 ________ 이번에는 강릉* 어때요? (갔다)

어둡다 to be dark
불 light; fire
작년 last year

*강릉 Gangneung

2. Match the parts related to each other and complete the sentences.

Example 비가 오다	• —— •	장화를 신으세요.
① 낮에는 문을 안 열다	• •	가격이 정말 싸요.
② 평일에는 시간이 없다	• •	주말에 만나요.
③ 할인을 받다	• •	저녁에 가요.
④ 날씨가 덥다	• •	시원한 냉면을 먹을까요?

Example 비가 오니까 장화를 신으세요.

① ________

② ________

③ ________

④ ________

장화 boots
평일 weekday

3. What would you do in the following situations? Answer the questions using the given words.

Example A: 이 식당에서 저녁을 먹을까요?
B: 여기는 사람이 너무 많으니까 다른 식당에 갈까요? (사람이 너무 많다) (다른 식당에 가다)

1. A: 우리 뭐 주문할까요? 피자 시킬까요?
B: ______________________? (여기 피자는 맛없다) (?)

2. A: 주말에 한강공원에서 자전거 탈까요?
B: 저는 ______________________? (자전거를 못 타다) (?)

3. A: 날씨가 정말 좋아요. 우리 뭐 할까요?
B: ______________________? (날씨가 따뜻하다) (?)

4. A: 곧 슌 씨 생일이에요. 어떤 선물을 줄까요?
B: 슌 씨는 ______________________? (방탄소년단을 좋아하다) (?)

피자 pizza

4. Complete the sentences by choosing the most natural expression.

Example 토요일에 제 생일 파티를 해서 / (하니까) 꼭 와 주세요.

1. 이 영화는 재미없어서 / 재미없으니까 다른 영화 볼까요?
2. 어제는 아파서 / 아팠으니까 회사에 못 갔어요.
3. 한국은 겨울에 추워서 / 추우니까 두꺼운 옷을 챙기세요.
4. 날씨가 건조해서 / 건조하니까 물을 많이 드세요.
5. 배송비가 비싸서 / 비싸니까 우리 같이 살까요?
6. 늦어서 / 늦으니까 죄송해요.
7. 이번 콘서트에 못 가서 / 갔으니까 너무 아쉬워요.

1. Use the table below to talk about seasonal Korean travel tips. Then write and talk about seasonal travel tips for your own country or region.

계절	한국	여행 팁
봄	따뜻하다	한강공원에서 산책하다
여름	덥다, 비가 자주 오다	손선풍기를 챙기다, 작은 우산을 챙기다
가을	시원하다, 조금 건조하다	얇은 코트를 입다, 물을 자주 마시다
겨울	춥다, 눈이 오다	롱패딩을 입다

Example 1

한국은 봄에 따뜻하니까
한강공원에서 산책하면 좋아요.

Example 2

여름에는 비가 자주 오니까
작은 우산을 챙기세요.

계절	My Country or Region	여행 팁

2. Listen to the dialogue again and complete the sentences.

Student Book p. 164

슌 씨, 한국 생활 꿀팁을 들려주세요!

네. 먼저 날씨 이야기부터 시작해 볼까요? 한국은 ________.
그래서 손선풍기를 가지고 다니면 정말 좋아요.
하지만 ________ 롱패딩 같은 두꺼운 옷도 꼭 준비하세요.

아주 좋은 팁이에요! 또 어떤 꿀팁이 있어요?

________ 이 아주 빠르고 ________ 꼭 이용해 보세요.
보통 오늘 ________ 내일 바로 받을 수 있어요.
또 생필품부터 과일까지 모두 인터넷에서 ________.

맞아요. 인터넷 쇼핑은 저도 추천해요! 또 추천하고 싶은 것 있어요?

재미있는 클래스가 정말 많아요.
특히 한국어 수업이 ________ 꼭 들어 보세요!

Model Answers
&
Translations

Model Answers

Learning Hangeul pp. 8-9

1. ❶ 석 ❷ 윤 ❸ 홉 ❹ 민 ❺ 형 ❻ 국
   ❼ 낮 ❽ 뭘 ❾ 봤
3. ❶ ② [머시써요] ❷ ① [일근 책] ❸ ② [조은 노래]
   ❹ ① [오시 마나요] ❺ ③ [트키 조아해요]

Episode 1

Vocabulary p. 11

1. ❶ United States 미국 ❷ France 프랑스
   ❸ Indonesia 인도네시아 ❹ Japan 일본
   ❺ Australia 호주
2. ❶ b ❷ c ❸ a

Expression 1 pp. 12-13

1.

N	N 은	N	N 는
방탄소년단	방탄소년단은	저	저는
한국	한국은	여기	여기는
학생	학생은	저거	저거는
그쪽	그쪽은	우리	우리는
선생님	선생님은	친구	친구는

2. ❶ 의자예요 ❷ 가방이에요 ❸ 슌이에요
   ❹ 뭐예요 ❺ 가수예요
3. ❶ 저는 미국 사람이에요 ❷ 이 사람은 제 친구예요
   ❸ 제 친구 이름은 슌이에요 ❹ 슌은 일본 사람이에요
   ❺ 우리는 아미예요
4. ❶ 이 사람은 진이에요 ❷ 이 사람은 슈가예요
   ❸ 이 사람은 제이홉이에요 ❹ 이 사람은 지민이에요
   ❺ 이 사람은 뷔예요 ❻ 이 사람은 정국이에요

Expression 2 pp. 14-15

1. ❶ 일본에서 왔어요 ❷ 한국에서 왔어요
   ❸ 독일에서 왔어요 ❹ 영국에서 왔어요
2. ❶ 제 친구는 멕시코에서 왔어요
   ❷ 저 분은 남아프리카공화국에서 왔어요
   ❸ 뷔는 대구에서 왔어요 ❹ 정국은 부산에서 왔어요
   ❺ 알엠은 어디에서 왔어요
3.

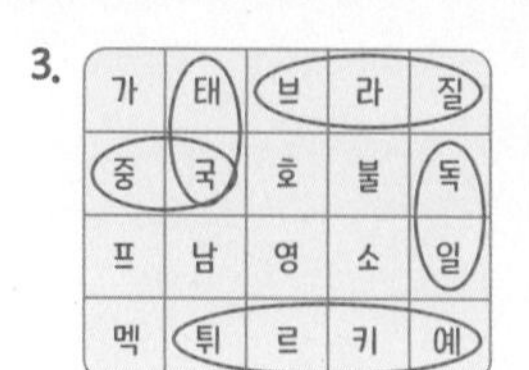

❶ 중국에서 왔어요
❷ 브라질에서 왔어요
❸ 독일에서 왔어요
❹ 튀르키예에서 왔어요

4. ❶ 슈가는 한국에서 왔어요 ❷ 진은 과천에서 왔어요
   ❸ 제이홉은 광주 사람이에요 ❹ 지민은 부산 사람이에요

Wrap-up Practice p. 16

1. (진은) 과천에서 왔어요. 본명은 김석진이에요.
   슈가는 대구에서 왔어요. 본명은 민윤기예요.
   제이홉은 광주에서 왔어요. 본명은 정호석이에요.
   지민은 부산에서 왔어요. 본명은 박지민이에요.
   뷔는 대구에서 왔어요. 본명은 김태형이에요.
   정국은 부산에서 왔어요. 본명은 전정국이에요.

Episode 2

Vocabulary p. 17

1. ❶ 창문 ❷ 옷장 ❸ 침대 ❹ 화장실
   ❺ 소파 ❻ 의자 ❼ 책상
2.

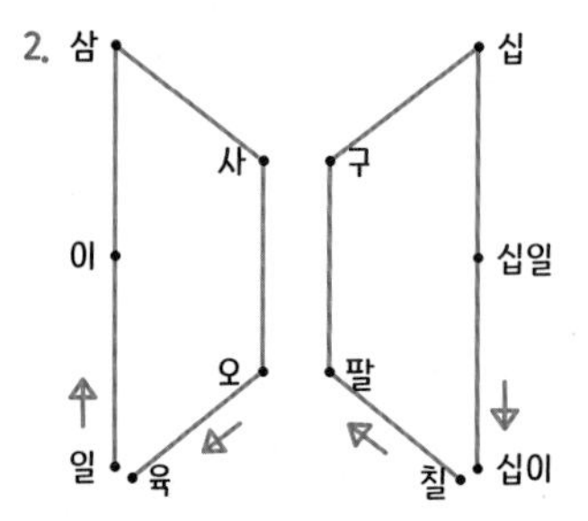

Expression 1 pp. 18-19

1.

N	N 이	N	N 가
핸드폰	핸드폰이	침대	침대가
창문	창문이	의자	의자가
옷장	옷장이	교통카드	교통카드가
시간	시간이	친구	친구가
약속	약속이	저	제가

2. ❶ 이 있어요 ❷ 이 없어요 ❸ 가 없어요
   ❹ 가 없어요 ❺ 이 있어요 ❻ 가 있어요

3. ❶ 의자가 있어요 ❷ 시간이 없어요

❸ 한국 돈이 없어요 ❹ 방탄소년단 앨범이 있어요

4. ❶ 네, 있어요 ❷ 아니요, 없어요 ❸ 네, 있어요

❹ 네, 있어요 ❺ 네, 있어요 ❻ 아니요, 없어요

Expression 2 pp. 20-21

1. ❶ 방탄소년단은 서울에 있어요 ❷ 슌 씨는 집에 있어요

❸ 우산은 문 앞에 있어요 ❹ 화장실은 저쪽에 있어요

❺ 슌 씨 방은 3층에 있어요 ❻ 케이트 씨 방은 6층에 있어요

2. ❶ 창문 앞에 있어요 ❷ 케이트 옆에 있어요

❸ 강아지 왼쪽에 있어요 ❹ 아미밤 아래에/밑에 있어요

❺ 방 밖에 있어요

3. ❶ 뒤에 있어요 ❷ 왼쪽에/옆에 있어요

❸ 뒤에 있어요 ❹ 오른쪽에/옆에 있어요

❺ 앞에 있어요 ❻ 안에 있어요

4. ❶ 핸드폰 옆에 있어요 ❷ 책상 위에 있어요

❸ 지갑 안에 없어요, 의자 밑에 있어요

Wrap-up Practice p. 22

1. (Example) 책장 안에 책이 있어요. 슬리퍼가 침대 앞에 있어요.

Episode 3

Vocabulary p. 23

1. ❶ 핸 드 폰 ❷ 텀 블 러 ❸ 보 조 배 터 리 ❹ 화 장 품

❺ 이 어 폰 ❻ 핸 드 크 림

2. ❶ 한 ❷ 두 ❸ 세 ❹ 네 ❺ 다섯

Expression 1 pp. 24-25

1.

A	A 아요	N	N 이/가 A 아요
좋다	좋아요	향기	향기가 좋아요
많다	많아요	물건	물건이 많아요
작다	작아요	키	키가 작아요
싸다	싸요	가격	가격이 싸요
나쁘다*	나빠요	기분	기분이 나빠요
A	A 어요	N	N 이/가 A 어요
적다	적어요	사람	사람이 적어요
있다	있어요	핸드폰	핸드폰이 있어요
없다	없어요	시간	시간이 없어요
재미있다	재미있어요	영화	영화가 재미있어요
재미없다	재미없어요	책	책이 재미없어요
멋있다	멋있어요	패션	패션이 멋있어요
멋지다	멋져요	방탄소년단	방탄소년단이 멋져요
예쁘다*	예뻐요	꽃	꽃이 예뻐요
크다*	커요	가방	가방이 커요
A	A 해요	N	N 이/가 A 해요
편하다	편해요	소파	소파가 편해요
불편하다	불편해요	옷	옷이 불편해요
시원하다	시원해요	선풍기	선풍기가 시원해요
친절하다	친절해요	직원	직원이 친절해요

2. ❶ 이, 어요 ❷ 이, 아요 ❸ 가, 아요

❹ 이, 어요 ❺ 가, 어요 ❻ 가, 해요

3. ❶ 물건이 많아요 ❷ 의자가 불편해요 ❸ 날씨가 좋아요

❹ 텀블러가 커요 ❺ 라면이 맛있어요

Expression 2 pp. 26-27

1.

A	A 지 않다
작다	작지 않아요
싸다	싸지 않아요
멀다	멀지 않아요
크다	크지 않아요
친절하다	친절하지 않아요
시원하다	시원하지 않아요
맛있다	맛없어요

A	안 A
좋다	안 좋아요
많다	안 많아요
적다	안 적어요
멋있다	안 멋있어요
편하다	안 편해요
나쁘다	안 나빠요
예쁘다	안 예뻐요

2. ❶ 적어요. 많지 않아요. ❷ 좋아요. 나쁘지 않아요.

❸ 비싸요. 싸지 않아요. ❹ 길어요. 안 짧아요.

❺ 편해요. 안 불편해요.

3. ❶ 키가 작지 않아요, 키가 안 작아요

❷ 교통카드가 비싸지 않아요, 교통카드가 안 비싸요

❸ 사진이 많지 않아요, 사진이 안 많아요

❹ 옷이 편하지 않아요, 옷이 안 편해요

❺ 사람이 적지 않아요, 사람이 안 적어요

❻ 머리가 길지 않아요, 머리가 안 길어요

Wrap-up Practice p. 28

1. (Example) 보조배터리가 한 개 있어요.
가격이 싸요. 디자인이 나쁘지 않아요.

Episode 4

Vocabulary p. 29

1. ❶ 오전 아홉 시 ❷ 오후 한 시 삼십 분 / 오후 한 시 반
❸ 오후 세 시 오십칠 분 ❹ 오후 네 시 이십육 분
❺ 오후 일곱 시 구 분 ❻ 오후 열한 시 사십이 분
❼ 오전 두 시 오 분

2. ❶ 먹다 ❷ 만나다 ❸ 읽다 ❹ 일어나다
❺ 좋아하다 ❻ 배우다

Expression 1 pp. 30-32

1.

V	V아요	N	N을/를 V아요
보다	봐요	영상	영상을 봐요
만나다	만나요	방탄소년단	방탄소년단을 만나요
자다	자요	잠	잠을 자요
가다	가요	학교	학교에 가요
오다	와요	집	집에 와요
사다	사요	옷	옷을 사요
일어나다	일어나요		
V	V어요	N	N을/를 V어요
먹다	먹어요	점심	점심을 먹어요
읽다	읽어요	책	책을 읽어요
배우다	배워요	한국어	한국어를 배워요
마시다	마셔요	물	물을 마셔요
쉬다	쉬어요		
듣다*	들어요	노래	노래를 들어요
걷다*	걸어요	공원	공원을 걸어요
쓰다*	써요	일기	일기를 써요
V	V해요	N	N을/를 V해요
하다	해요	노래	노래를 해요
좋아하다	좋아해요	방탄소년단	방탄소년단을 좋아해요
전화하다	전화해요		

2. ❶ 집에 가요 ❷ 떡볶이를 먹어요 ❸ 노래를 들어요
❹ 한글을 써요 ❺ 방탄소년단 영상을 봐요

3. ❶ 탁구를 쳐요 ❷ 농구를 해요 ❸ 운전을 해요
❹ 이를 닦아요 ❺ 라면을 먹어요

4. ❶ 아침을 안 먹어요, 아침을 먹지 않아요
❷ 친구를 안 만나요, 친구를 만나지 않아요
❸ 커피를 안 마셔요, 커피를 마시지 않아요
❹ 게임을 안 해요, 게임을 하지 않아요
❺ 청소 안 해요, 청소하지 않아요
❻ 영화를 안 좋아해요, 영화를 좋아하지 않아요

Expression 2 p. 33

1. ❶ 오전 열한 시 삼십 분에 / 오전 열한 시 반에 수업을 들어요
❷ 오후 세 시에 집에 와요
❸ 오후 아홉 시 오십 분에 드라마를 봐요

2. ❶ 지금 ❷ 10시에 ❸ 내일 ❹ 저녁에 ❺ 오전에

Wrap-up Practice p. 34

1. (Example) 저는 보통 아침 여덟 시에 일어나요.
오전 아홉 시에 학교에 가요. 수업을 들어요. 보통 열한 시 사십 분에 점심을 먹어요.
오후 네 시 반에 친구를 만나요. 공원에 가요. 친구하고 같이 운동을 해요. 저녁 일곱 시 반에 집에 와요. 저녁을 먹어요. 드라마를 봐요.
그리고 밤 열두 시에 자요.

Episode 5

Vocabulary p. 35

1. ❶ 천사백 ❷ 오천삼백 ❸ 육만 팔천이백
❹ 십구만 삼천칠백 ❺ 백삼만 육천육백
❻ 삼백오십만 사천구백

2. ❶ 비빔밥 ❷ 냉면 ❸ 빈대떡
❹ 김밥 ❺ 짜장면 ❻ 순대

Expression 1 pp. 36-37

1.

V	V을까요?	V	V ㄹ까요?
먹다	먹을까요?	가다	갈까요?
찍다	찍을까요?	보다	볼까요?
읽다	읽을까요?	만나다	만날까요?
앉다	앉을까요?	하다	할까요?
듣다*	들을까요?	놀다	놀까요?
걷다*	걸을까요?	만들다	만들까요?

2. ❶ 들을까요 ❷ 갈까요 ❸ 먹을까요 ❹ 걸을까요
3. 한 시에 만나요. 같이 영화를 봐요.
4. ❶ 점심 먹을까요, 먹어요, 열두 시 반
   ❷ 명동 갈까요, 가요, 일곱 시

Expression 2 pp. 38-39

1.

V	V으세요	V	V세요
읽다	읽으세요	보다	보세요
앉다	앉으세요	가다	가세요
찍다	찍으세요	주다	주세요
받다	받으세요	운동하다	운동하세요
잡다	잡으세요	열다	여세요
듣다*	들으세요	만들다	만드세요

2. ❶ 오세요 ❷ 앉으세요 ❸ 주세요 ❹ 드세요
3. ❶ 만드세요 ❷ 들으세요 ❸ 보세요
   ❹ 읽으세요 ❺ 드세요
4. ❶ 기다리세요 ❷ 가세요 ❸ 드세요 ❹ 보세요

Wrap-up Practice p. 40

1. ❶ 오세요 ❷ ②

Episode 6

Vocabulary p. 41

1. ❶ 식당 ❷ 쇼핑몰 ❸ 코인 노래방
   ❹ 영화관 ❺ 약국
2. ❶ 보세요 ❷ 외우세요 ❸ 푸세요 ❹ 말하세요

Expression 1 p. 42

1. ❶ 식당에서 저녁을 먹어요 ❷ 코인 노래방에서 노래를 해요
   ❸ 쇼핑몰에서 옷을 사요 ❹ 편의점에서 음료수를 사요
   ❺ 회사에서 일해요 ❻ 공원에서 쉬어요
2. ❶ 에 ❷ 에 ❸ 에서 ❹ 에 ❺ 에서 ❻ 에서

Expression 2 pp. 43-45

1.

A/V	A/V 아요	A/V 았어요
많다	많아요	많았어요
좋다	좋아요	좋았어요
알다	알아요	알았어요
보다	봐요	봤어요
나쁘다*	나빠요	나빴어요
바쁘다*	바빠요	바빴어요
모르다*	몰라요	몰랐어요
A/V	**A/V 어요**	**A/V 었어요**
적다	적어요	적었어요
있다	있어요	있었어요
풀다	풀어요	풀었어요
쉬다	쉬어요	쉬었어요
외우다	외워요	외웠어요
쓰다*	써요	썼어요
듣다*	들어요	들었어요
부르다*	불러요	불렀어요
A/V	**A/V 해요**	**A/V 했어요**
깨끗하다	깨끗해요	깨끗했어요
공부하다	공부해요	공부했어요
말하다	말해요	말했어요

2. ❶ 갔어요, 공부했어요 ❷ 운동해요 ❸ 해요, 갔어요
   ❹ 일어나요, 일어났어요
3. ❶ (Example) 요리했어요, 청소했어요
   ❷ (Example) 노래방에서 노래를 불렀어요, 백화점에서 쇼핑했어요, 공원에서 산책했어요

4. ❶ 영상이 재미있었어요 ❷ 가격이 비쌌어요
❸ 날씨가 나쁘지 않았어요 ❹ 밤에 일기를 썼어요
❺ 아침에 밥을 안 먹었어요
❻ 방에서 방탄소년단 노래를 들었어요
❼ 도서관에서 공부를 했어요
❽ 편의점에서 물을 샀어요

Wrap-up Practice p. 46

1. ❶ 노래를 많이 불렀어요 / 방탄소년단 노래를 불렀어요, 저녁을 먹었어요 / 닭갈비하고 비빔밥을 먹었어요
❷ ④

Episode 7

Vocabulary p. 47

1. 커피 아메리카노, 카페라떼 차 녹차, 유자차, 홍차
디저트 팥빙수, 치즈 케이크

2. ❶ 추천해요 ❷ 넣어요 ❸ 빼요 ❹ 기다려요

Expression 1 pp. 48-49

1. ❶ 마시고 싶어요 ❷ 만나고 싶어요
❸ 배우고 싶어요 ❹ 이야기하고 싶어요

2. ❶ 먹고 싶지 않아요 / 안 먹고 싶어요
❷ 하고 싶지 않아요 / 안 하고 싶어요
❸ 치고 싶지 않아요 / 안 치고 싶어요
❹ 가고 싶지 않아요 / 안 가고 싶어요

4. ❶ 카페에 갈까요, 디저트 카페에 가고 싶어요, 팥빙수를 먹고 싶어요
❷ 공원에 갈까요, 바람을 쐬고 싶어요, 자전거를 타고 싶어요

Expression 2 pp. 50-51

1.

V	V아 주세요	V아 줬어요	V아 줄까요?
사다	사 주세요	사 줬어요	사 줄까요?
받다	받아 주세요	받아 줬어요	받아 줄까요?
잡다	잡아 주세요	잡아 줬어요	잡아 줄까요?
V	V어 주세요	V어 줬어요	V어 줄까요?
찍다	찍어 주세요	찍어 줬어요	찍어 줄까요?
넣다	넣어 주세요	넣어 줬어요	넣어 줄까요?
만들다	만들어 주세요	만들어 줬어요	만들어 줄까요?
기다리다	기다려 주세요	기다려 줬어요	기다려 줄까요?
가르치다	가르쳐 주세요	가르쳐 줬어요	가르쳐 줄까요?
쓰다*	써 주세요	써 줬어요	써 줄까요?
듣다*	들어 주세요	들어 줬어요	들어 줄까요?
부르다*	불러 주세요	불러 줬어요	불러 줄까요?
V	V해 주세요	V해 줬어요	V해 줄까요?
이야기하다	이야기해 주세요	이야기해 줬어요	이야기해 줄까요?
추천하다	추천해 주세요	추천해 줬어요	추천해 줄까요?
전화하다	전화해 주세요	전화해 줬어요	전화해 줄까요?
답장하다	답장해 주세요	답장해 줬어요	답장해 줄까요?

2. ❶ 이 카페에 처음 왔어요. 음료를 추천해 주세요.
❷ 약국이 어디에 있어요? 길을 알려 주세요.
❸ 지금은 조금 바빠요. 나중에 전화해 주세요.
❹ 말이 조금 빨라요. 천천히 말해 주세요.

3. ❶ 찍어 주세요. ❷ 기다려 주세요.
❸ 가르쳐 줄까요? ❹ 만들어 줬어요.

Wrap-up Practice p. 52

1. (Example 1) 노래를 듣고 싶어요. 많이 노래해 주세요.
(Example 2) 라이브 방송 해 주세요. 너무 보고 싶어요.

Episode 8

Vocabulary p. 53

1. ❶ 구경해요 ❷ 사요 ❸ 빌려요 ❹ 응원해요

2. ❶ 십이월 사 일 ❷ 삼월 구 일 ❸ 이월 십팔 일
❹ 시월 십삼 일 ❺ 십이월 삼십 일 ❻ 구월 일 일

Expression 1 pp. 54-55

1.

V	V을 거예요	V	V ㄹ 거예요
먹다	먹을 거예요	사다	살 거예요
찍다	찍을 거예요	보다	볼 거예요
읽다	읽을 거예요	타다	탈 거예요
넣다	넣을 거예요	빌리다	빌릴 거예요
입다	입을 거예요	관람하다	관람할 거예요
듣다*	들을 거예요	놀다	놀 거예요

2. ❶ 갈 거예요 ❷ 먹을 거예요 ❸ 탈 거예요
❹ 일어날 거예요 ❺ 쉴 거예요 ❻ 살 거예요
❼ 입을 거예요

3. ❶ 학교, 한국어 수업을 들었어요 ❷ 서점, 한국어 책을 샀어요
❸ 공연장, 뮤지컬을 볼 거예요 ❹ 집, 일기를 쓸 거예요

Expression 2 pp. 56-57

1. ❶ 듣고 ❷ 시키고 ❸ 시원하고 ❹ 맛있고

2. ❶ 이 치즈 케이크는 비싸고 맛없어요 ❷ 방이 넓고 깨끗해요
❸ 저 사람은 키가 크고 머리가 짧아요
❹ 이 책은 어렵지 않고 재미있어요
❺ 방탄소년단은 멋있고 노래도 잘 불러요
❻ 저는 〈IDOL〉을 좋아하고 슌 씨는 〈봄날〉을 좋아해요

3. ❶ 집에서 공부하고 카페에서 슌 씨를 만났어요
❷ 집에서 치킨을 먹고 〈달려라 방탄〉을 보고 잘 거예요

Wrap-up Practice p. 58

1. (Example) 주말에 방탄소년단 콘서트가 있어요. 아미 친구하고 공연장에 갈 거예요. 공연도 보고 열심히 응원할 거예요. 어제 〈BTS LYRICS INSIDE〉 책을 샀어요. 한국어 가사를 열심히 공부할 거예요. 공연장에서 한국어 노래도 열심히 부를 거예요!
#콘서트 #방탄소년단 #응원

Episode 9

Vocabulary p. 59

1. ❶ 치다 ❷ 하다 ❸ 타다

2. ❶ 기뻐요 ❷ 자신 있어요 ❸ 피곤해요
❹ 궁금해요 ❺ 긴장돼요

Expression 1 pp. 60-61

1.

V	V을 수 있다	V	V ㄹ 수 있다
읽다	읽을 수 있다	사다	살 수 있다
받다	받을 수 있다	치다	칠 수 있다
먹다	먹을 수 있다	잘하다	잘할 수 있다
듣다*	들을 수 있다	수영하다	수영할 수 있다
걷다*	걸을 수 있다	들다	들 수 있다

2. ❶ 테니스를 칠 수 있어요, 칠 수 있어요
❷ 수영을 할 수 있어요, 못해요
❸ 한국어를 할 수 있어요, 할 수 있어요
❹ 육회를 먹을 수 있어요, 못 먹어요

3. ❶ 할 수 없어요 ❷ 탈 수 있어요
❸ 읽을 수 없어요 ❹ 부를 수 있어요
❺ 들을 수 있어요 ❻ 볼 수 없어요

4. (Example 1) 영화관에서는 음료를 마실 수 있어요.
(Example 2) 박물관에서는 작품을 만질 수 없어요.
(Example 3) 비행기 안에서는 큰 소리로 이야기할 수 없어요.

Expression 2 pp. 62-63

1.

A/V	A/V 아서
좋다	좋아서
작다	작아서
가다	가서
놀라다	놀라서
모르다*	몰라서

A/V	A/V 해서
잘하다	잘해서
못하다	못해서
좋아하다	좋아해서
궁금하다	궁금해서

A/V	A/V 어서
있다	있어서
늦다	늦어서
힘들다	힘들어서
긴장되다	긴장돼서
기쁘다*	기뻐서
슬프다*	슬퍼서
듣다*	들어서
무섭다*	무서워서
즐겁다*	즐거워서

2. ❶ 일을 많이 해서 조금 피곤했어요
❷ 영화가 너무 슬퍼서 많이 울었어요
❸ 시험이 있어서 열심히 공부할 거예요
❹ 가방이 무거워서 들 수 없어요
❺ 만나서 반가워요

Wrap-up Practice p. 64

1. ❶ 케이트 씨가 답장하지 않아서요. / 케이트 씨하고 연락이 안 돼서요.
   ❷ ④
   ❸ ②

Episode 10

Vocabulary p. 65

1. ❶ 하얀색 ❷ 빨간색 ❸ 노란색 ❹ 초록색
2. ❶ 티셔츠를 입었어요 ❷ 운동화를 신었어요
   ❸ 카디건을 입었어요 ❹ 재킷을 입었어요
   ❺ 모자를 썼어요 ❻ 선글라스를 썼어요

Expression 1 pp. 66-67

1.

A	A은
많다	많은
좋다	좋은
얇다	얇은
크지 않다	크지 않은
많지 않다	많지 않은
두껍다*	두꺼운
가볍다*	가벼운
무겁다*	무거운
맵다*	매운

A	Aㄴ
예쁘다	예쁜
편하다	편한
싸다	싼
크다	큰
길다	긴
힘들다	힘든

A	A는
있다	있는
없다	없는
맛있다	맛있는
맛없다	맛없는
재미있다	재미있는
재미없다	재미없는
멋있다	멋있는

2. ❶ 짧은 ❷ 시원한 ❸ 좋은 ❹ 비싼
   ❺ 괜찮은 ❻ 무거운 ❼ 긴 ❽ 멋있는
3. ❶ 큰 셔츠를 샀어요 ❷ 감동적인 영화를 봤어요
   ❸ 매운 음식을 좋아해요 ❹ 슬픈 노래를 많이 들어요
   ❺ 인기 많은 가수예요
4. ❶ 모자, 커요, 작은 모자, 모자
   ❷ 원피스, 길어요, 짧은 원피스, 원피스
   ❸ 바지, 얇아요, 두꺼운 바지, 바지

Expression 2 pp. 68-69

1.

V	V아 보세요	V아 볼까요?	V아 보고 싶어요
가다	가 보세요	가 볼까요?	가 보고 싶어요
찾다	찾아 보세요	찾아 볼까요?	찾아 보고 싶어요
고르다*	골라 보세요	골라 볼까요?	골라 보고 싶어요
V	V어 보세요	V어 볼까요?	V어 보고 싶어요
입다	입어 보세요	입어 볼까요?	입어 보고 싶어요
신다	신어 보세요	신어 볼까요?	신어 보고 싶어요
배우다	배워 보세요	배워 볼까요?	배워 보고 싶어요
만들다	만들어 보세요	만들어 볼까요?	만들어 보고 싶어요
쓰다*	써 보세요	써 볼까요?	써 보고 싶어요
듣다*	들어 보세요	들어 볼까요?	들어 보고 싶어요
부르다*	불러 보세요	불러 볼까요?	불러 보고 싶어요
V	V해 보세요	V해 볼까요?	V해 보고 싶어요
하다	해 보세요	해 볼까요?	해 보고 싶어요
구경하다	구경해 보세요	구경해 볼까요?	구경해 보고 싶어요
이야기하다	이야기해 보세요	이야기해 볼까요?	이야기해 보고 싶어요

2. ❶ 먹어 보세요 / 드셔 보세요 ❷ 타 볼까요 ❸ 들어 보세요
   ❹ 써 보고 싶어요
3. ❶ 한복을 입어 보세요 ❷ 〈OO식당〉에 가 보세요
   ❸ 비빔밥을 먹어 보세요 / 드셔 보세요 ❹ 유자차를 마셔 보세요

Wrap-up Practice p. 70

1. ❶ ①
   ❷ 가 보세요 / 여기에서 쇼핑해 보세요

Episode 11

Vocabulary p. 71

1. ❶ 공항에서 비행기를 타요
   ❷ 버스 터미널에서 고속버스를 타요
   ❸ 지하철역에서 지하철을 타요
   ❹ 버스 정류장에서 시내버스를 타요
2. ❶ 찾아봤어요 ❷ 출발할 거예요
   ❸ 도착할 거예요 ❹ 인증샷을 찍고 싶어요
   ❺ 기억에 남을 거예요

Expression 1 pp. 72-73

1.

V	V(으)ㄴ	V는	V(으)ㄹ
찾다	찾은	찾는	찾을
찍다	찍은	찍는	찍을
여행하다	여행한	여행하는	여행할
찾아보다	찾아본	찾아보는	찾아볼
만들다	만든	만드는	만들
살다	산	사는	살
걷다*	걸은	걷는	걸을
읽지 않다	읽지 않은	읽지 않는	읽지 않을
하지 않다	하지 않은	하지 않는	하지 않을

2. ❶ 연 콘서트 ❷ 찍은 장소 ❸ 이용한 숙소
3. ❶ 한국 물건을 파는 가게가 이 근처에 있어요
   ❷ 케이트 씨가 못 먹는 한국 음식은 육회예요
   ❸ 제가 요즘 자주 하는 운동은 축구예요
   ❹ 제가 즐겨 보는 영화는 공포 영화예요
4. ❶ 이야기할 ❷ 입을 ❸ 돌아갈

Expression 2 pp. 74-75

1.

A	A(으)ㄴ 것 같다
좋다	좋은 것 같다
적다	적은 것 같다
크다	큰 것 같다
멀다	먼 것 같다
있다	있는 것 같다
재미없다	재미없는 것 같다
아쉽다*	아쉬운 것 같다
가볍다*	가벼운 것 같다

V	V는 것 같다
자다	자는 것 같다
오다	오는 것 같다
듣다	듣는 것 같다
준비하다	준비하는 것 같다
좋아하다	좋아하는 것 같다
알다	아는 것 같다
살다	사는 것 같다

2. ❶ 좋아하는 것 같아요 ❷ 노는 것 같아요 ❸ 듣는 것 같아요
   ❹ 슬픈 것 같아요 ❺ 매운 것 같아요 ❻ 막히는 것 같아요

3.

A/V	A/V을 것 같다	A/V	A/Vㄹ 것 같다
늦다	늦을 것 같다	빠르다	빠를 것 같다
좋다	좋을 것 같다	도착하다	도착할 것 같다
남다	남을 것 같다	싸다	쌀 것 같다
듣다*	들을 것 같다	돌아가다	돌아갈 것 같다
무겁다*	무거울 것 같다	울다	울 것 같다
귀엽다*	귀여울 것 같다	힘들다	힘들 것 같다

4. ❶ 많을 것 같아요, 기다릴 것 같아요 ❷ 맛있을 것 같아요
   ❸ 바쁠 것 같아요 ❹ 아쉬울 것 같아요

Wrap-up Practice p. 76

1. (Example) 서울에 가 보고 싶어요.

   9월에 갈 거예요. 그때 날씨가 좋을 것 같아요.

   비행기를 타고 갈 거예요.

   방탄소년단이 영상을 찍은 장소가 서울에 아주 많아요. 거기에서 구경도 하고 사진도 많이 찍고 싶어요. 정말 좋을 것 같아요.

   먹고 싶은 음식이 아주 많아요. 김밥, 떡볶이하고 야채튀김을 다 먹고 싶어요.

Episode 12

Vocabulary p. 77

1. ❶ T ❷ T ❸ F ❹ F
2. ❶ 구매 ❷ 가격 ❸ 리뷰 ❹ 배송비

Expression 1 pp. 78-79

1. ❶ 좋으면 ❷ 오면 ❸ 추우면 ❹ 먹고 싶으면
2. ❶ 막히면, 안 막히면 / 막히지 않으면
   ❷ 하면, 안 하면 / 하지 않으면
   ❸ 매우면, 안 매우면 / 맵지 않으면
   ❹ 피곤하면, 안 피곤하면 / 피곤하지 않으면
   ❺ 있으면, 없으면
3. ❶ (Example) 친구들하고 같이 놀면 보통 노래방에 가요.
   ❷ (Example) 날씨가 너무 더우면 시원한 음료수를 마셔요.
   ❸ (Example) 스트레스를 받으면 운동을 해요.
   ❹ (Example) 감기에 걸리면 유자차를 마셔요.

Expression 2 pp. 80-81

1. ❶ 부니까 ❷ 오니까 ❸ 어두우니까 ❹ 갔으니까
2. ❶ 낮에는 문을 안 여니까 저녁에 가요.
   ❷ 평일에는 시간이 없으니까 주말에 만나요.
   ❸ 할인을 받으니까 가격이 정말 싸요.
   ❹ 날씨가 더우니까 시원한 냉면을 먹을까요?
3. ❶ (Example) 여기 피자는 맛없으니까 파스타를 시킬까요
   ❷ (Example) 자전거를 못 타니까 다른 운동을 할까요
   ❸ (Example) 날씨가 따뜻하니까 산책을 할까요
   ❹ (Example) 방탄소년단을 좋아하니까 새 앨범을 사 줄까요
4. ❶ 재미없으니까 ❷ 아파서 ❸ 추우니까 ❹ 건조하니까
   ❺ 비싸니까 ❻ 늦어서 ❼ 가서

Wrap-up Practice p. 82

1. (Example 1) 가을에는 조금 건조하니까 물을 자주 마시면 좋아요.
   (Example 2) 겨울에는 추우니까 롱패딩을 입으세요.

Translations

Episode 5

Expression 1 p. 37

3. A: Do you have time tomorrow?
   B: Yes, I do.
   A: Should we watch a movie together?
   B: Sure. Let's watch a movie together.
      What time should we meet?
   A: Let's meet at one o'clock.

Wrap-up Practice p. 40

1. Shun!
   I'm going to watch BTS' "컴백 라이브" (live performance) with some friends this evening.
   All my ARMY friends are coming.
   You should ______________ !
   Let's have dinner together as well.
   Should we order *tteok-bo-kki* and fried chicken?
   Reply when you get a chance.

Episode 6

Wrap-up Practice p. 46

1. My Korean test is over. Today I went to Shinchon with Shun. There are a lot of coin *noraebang* in Shinchon. So we went to one together. We sang a lot of songs there. We also sang BTS songs. We had dinner at 〈OO Restaurant〉. 〈OO Restaurant〉 is famous for its *dak-gal-bi*. We ordered *dak-gal-bi* and bibimbap. They were both very tasty. I came home at 9 p.m. I was a bit tired. But I felt good.

Episode 7

Expression 1 p. 49

4. A: What should we do tomorrow?
   B: Should we go on a trip? I want to go to Gangneung.
   A: What do you want to do there?
   B: I want to take a photo at Hyangho Beach.

Episode 8

Wrap-up Practice p. 58

1. I'm going to Gyeongbokgung Palace with Shun this weekend. I'm going to wear hanbok and take an "인생샷" (photo of a lifetime). There's also a museum next to Gyeongbokgung Palace. I'm going to visit it too. I'm really, really excited, and I can't wait to go!

   #Gyeongbokgung_Palace #Hanbok #Excited
   #Weekend_Plans

Episode 9

Expression 2 p. 63

3. A: Which song do you like?
   B: I like "봄날 (Spring Day)."
   A: Why?
   B: Because the lyrics are beautiful.

Wrap-up Practice p. 64

1. Shun: Kate, we're finally going to our cooking class today!
   Shun: Let's meet in front of the station at 4:30.
   Shun: Are you busy Kate?
   Kate: Oh... :'(Sorry, Shun.
   Kate: 2) ______________ I didn't see your message.
   Shun: Oh, that's a relief. I was getting a bit worried
         because I didn't hear back from you.
   Shun: 3) ______________ the cooking class?
   Kate: Of course! I'll see you later.
   Shun: Okay. :)

Episode 10

Expression 1 p. 67

4. A: How are the dress shoes?
   B: Hmm, they are a bit uncomfortable.
   Do you have any that are more comfortable?
   A: Yes. How are these dress shoes?

Wrap-up Practice p. 70

1. Happy Shopping: ⟨OO Shopping Mall⟩ Review

   Yesterday, I went to ⟨OO Shopping Mall⟩ with my friend because I wanted to buy some clothes.

   There were lots of pretty clothes at the mall. I bought a pair of purple pants and a long pink dress. My friend bought a cool jacket. (Actually, I wanted to buy more clothes... ha ha. But I held back.)

   The mall's facilities were okay. The stores were clean, and the café in the mall was nice. The whole staff was friendly, which made shopping more enjoyable.

   So I recommend ⟨OO Shopping Mall⟩. You should try ______________. I will go there again next time!

Episode 12

Vocabulary p. 77

1. In Korea, there are four seasons: spring, summer, fall, and winter. In spring, the weather is warm. So many people go on outings. In summer, it is very hot, so many people go to the beach. It also rains a lot, so it is very humid. In fall, it is cool and not hot, so many people go to the mountains. In winter, it is very cold and dry. It also snows so many people enjoy winter sports. When would you like to come to Korea?

NOTE

Cake Corporation (Publication Registration May 24, 2022 No.2022-000170)
Pangyo TechONE Tower 1, Building 1, 9F, 131, Bundangnaegok-ro,
Bundang-gu, Seongnam-si, Gyeonggi-do, 13529, Korea

ISBN 979-11-90996-73-0
SET ISBN 979-11-90996-71-6

Cake is the new name of HYBE EDU.

App Download

Free language lessons updated every day!